E se eu parasse de comprar?

O ano em que
fiquei fora da moda

Joanna Moura

E se eu parasse de comprar ?

O ano em que fiquei fora da moda

Rio de Janeiro, 2023

Diretora editorial: Raquel Cozer
Coordenadora editorial: Malu Poleti
Editora: Chiara Provenza
Assistência editorial: Mariana Gomes
Apoio ao texto: Isis Ribeiro
Copidesque: Laura Folgueira
Revisão: Laila Guilherme e Bonie Santos
Capa: Arthur Petrillo
Diagramação de capa: Eduardo Okuno
Projeto gráfico e diagramação de miolo: Balão Editorial

DADOS INTERNACIONAIS DE CATALOGAÇÃO NA PUBLICAÇÃO (CIP)
ANGÉLICA ILACQUA CRB-8/7057

M887s
Moura, Joanna
E se eu parasse de comprar? : o ano em que fiquei fora da moda / Joanna Moura. – Rio de Janeiro : HarperCollins, 2021.
224 p.

ISBN 978-65-5511-236-8

1. Consumismo 2. Moda 3. Compras 4. Comportamento do consumidor 5. Finanças pessoais I. Título

21-4103 CDD: 658.834
CDU: 366.1

Os pontos de vista desta obra são de responsabilidade de sua autora, não refletindo necessariamente a posição da HarperCollins Brasil, da HarperCollins Publishers ou de sua equipe editorial.

Rua da Quitanda, 86, sala 601A — Centro
Rio de Janeiro, RJ — CEP 20091-005
Tel.: (21) 3175-1030
www.harpercollins.com.br

Para Stella. Para que você cometa outros erros, filha.

Sumário

Prefácio por Lilian Pacce

Joanna, a oniomaníaca em desconstrução

À primeira vista, o *Um ano sem Zara* parecia apenas mais um blog de moda que viralizaria facilmente — e, acredite, em 2011 viralizar não era algo tão fácil quanto é hoje. Podia não ter dado em nada, como outros tantos da época, mas a ideia pareceu encontrar eco em muita gente. O tal blog vingou, sobreviveu aos 366 dias daquele ano sem compras e superou as expectativas da própria Joanna Moura e de quem a acompanhava.

Agora, dez anos depois do primeiro post, todo o processo e os bastidores daquela decisão inusitada são relatados pela autora em seu livro, e é muito mais revelador do que você imagina. Poucas pessoas têm sensibilidade e coragem para perceber o poder de uma roupa em nossa vida, e a Joanna é uma delas. No entanto, essa percepção não surgiu logo de cara, no dia 1 do blog. Ao contrário, o que a publicitária conta nas páginas a seguir é um verdadeiro desabafo sobre o processo que a levou a enxergar melhor o seu guarda-roupa e, sem perceber, o peso da moda e das compras em seu dia a dia.

Aos poucos, aquela garota que desejava *apenas* sair do vermelho mostra como a indústria da moda influencia e incentiva a nossa decisão de compra. A partir dos anos 2000, a roupa que até meados da década de 70 durava anos em um armário se tornou praticamente descartável, feita por uma indústria que passou a produzir mais, mais rápido e com menos qualidade, até fazer a gente acreditar que o consumo em velocidade acelerada era mais do que necessário: era moda.

Tudo era bem empacotado com o ideal da democratização da moda propagado pelo atraente *fast fashion* em expansão naquela época, e ações começaram a aparecer, como a *collab* pioneira com um ícone da moda de luxo: a coleção da sueca H&M com o estilista alemão Karl Lagerfeld, em 2004 — para quem não sabe, Lagerfeld é um dos maiores nomes da moda: foi diretor criativo da marca italiana Fendi por cinquenta anos e da Chanel de 1983 até 2019, quando morreu. Esse movimento abriu um novo leque de possibilidades: ter uma peça de "luxo" a um valor acessível incentivou outras parcerias do tipo. No Brasil, por exemplo, a C&A lançou, em 2011, justamente o ano em que Joanna resolveu se abster das compras, uma coleção em parceria com a estilista inglesa Stella McCartney.

Com preços mais acessíveis e novas coleções a todo momento, ficou mais fácil se deixar levar pelas tentações do consumo. Tão fácil que muita gente começou a encarar as compras como passatempo, autoindulgência ou até mesmo um alívio das tensões da vida.

Comportamentos semelhantes ao da Joanna levaram à criação dos termos *shopping addicted* e *shopaholic* ou "viciada em compras". Percebo que, instintivamente, escrevi no feminino — "viciada" — e paro um minuto para refletir se isso não é puro preconceito... Infelizmente, os estudos mostram que a proporção de mulheres entre os viciados em compra é bem maior do que a de homens. Seria culpa da nossa natureza feminina ou apenas um reflexo de uma sociedade que continuamente estimula a mulher a consumir mais? Essa é mais uma das questões que Joanna aborda no livro, mas vai além disso.

Até hoje tem gente que acredita na eficiência da *shopping therapy* ou *retail therapy* (a terapia do consumo). Fenômeno associado ao mundo contemporâneo, o termo surgiu no final dos anos 1980 e passou a ser tema de muitos estudos. Já no século 21, ficou claro que pelo menos um terço das pessoas que "cometem" esta "terapia", na verdade, apresentam tendência a alguma compulsão ou vício.

A psicologia encontrou um nome para o diagnóstico desse problema apresentado no livro: transtorno da compra compulsiva (*compulsive buying disorder* ou CBD), enquanto o termo em grego é oniomania (mania de compra), a mesma palavra usada em português. A Universidade de São Paulo tem, inclusive, um ambulatório de oniomania dentro do Instituto de Psiquiatria. O caso é sério. Um oniomaníaco pode gastar mais dinheiro do que tem e também dedicar um tempo excessivo ao ato de comprar, ou ainda viver pensando obsessivamente em comprar algo, mesmo que nunca o faça.

Esse transtorno leva a outros. Gastar mais do que tem e contrair dívidas é um deles, por isso surgiram grupos de apoio como o Devedores Anônimos — sim, um equivalente ao Alcoólicos Anônimos para os viciados em álcool. O comprador compulsivo tende a se tornar um devedor, o que leva a mais um vício, e a outro, e a outro — o buraco pode ser maior do que o buraco do coelho de *Alice no País das Maravilhas*, de Lewis Carroll. Assim que iniciar a leitura do livro você vai entender, ou melhor, sentir, quase que na pele, como a oniomania pode ser silenciosa.

E agora, algumas conclusões interessantes desses estudos: na maioria das vezes, uma pessoa oniomaníaca é mais inteligente, dinâmica e perfeccionista do que a média. Portanto, Joanna, tá explicado seu comportamento. Seu livro *E se eu parasse de comprar? — O ano em que fiquei fora da moda* é a prova disso. Leve, sensível e inteligente, ele expõe feridas sem ser piegas, mostra verdades duras sem ser cruel e coloca o leitor torcendo pela Joanna que aparece nas situações descritas ali — muito parecida com alguém que a gente conhece: algum amigo ou familiar, para não dizer com nós mesmos.

A boa notícia é que um despertar de consciência tem transformado os hábitos de uma turma grande, que procura consumir menos, de forma mais inteligente, ou preferir peças já existentes, que ficaram velhas para alguém, mas se tornam novas quando mudam de endereço. É a economia circular eliminando o cheiro de naftalina da roupa de segunda mão, chacoalhando o velho *fast fashion*.

O fato é que o desejo e a paixão pela moda dificilmente vão desaparecer. Aliás, a Joanna mostra como a moda pode ser uma ferramenta de autoconhecimento (mais um bom termo em inglês: *fashion therapy*) em vez de um vício aprisionante, levando a um caminho mais saudável para viver essa paixão.

Como disse, é preciso ter coragem para perceber o poder de uma roupa em sua vida. Talvez as páginas a seguir possam ser o primeiro passo para você encontrar a sua!

1
Eu sempre quis ser uma dessas pessoas

O alarme estridente do celular já tocava pela quarta vez quando estiquei a mão até a mesinha de cabeceira e, ainda de olhos fechados, tateei em busca do infeliz, quase derrubando o copo d'água no processo. Apertei o primeiro botão que meus dedos conseguiram identificar. Finalmente silêncio. Com o celular em mãos, abri os olhos e logo me arrependi. Para que tanto sol a essa hora da manhã, meu Deus? Preciso tomar vergonha na cara e juntar um dinheiro para comprar uma blecaute para esse quarto.

Olhei para a tela do telefone: 8h45. O cérebro ainda estava se espreguiçando e demorou a processar a informação. Oito?! E quarenta e cinco?! Numa fração de segundo meu corpo todo acordou, adrenalina invadindo cada célula.

Corri para o banheiro tão rápido que quase escorreguei e dei de cara no piso de taco do corredor. Será que posso considerar esse o meu exercício do dia? O batimento cardíaco me indicava que sim. Xixi. Água fria na cara. Pasta na escova de dente. Corri de volta para o quarto, abri as quatro portas do armário, todas ao mesmo tempo, e duas bolsas precariamente equilibradas uma na outra pularam em cima de mim como prisioneiras fugindo do cárcere. Recuperada do susto inicial, apertei os olhos na tentativa inútil de discernir o que era o quê lá dentro. Os tecidos coloridos se misturavam uns aos outros, ocupando cada aresta do guarda-roupa, tão colados que pareciam se tornar uma coisa só, uma massa disforme que me encarava de volta com olhar julgador.

Tinha de tudo ali. Todos os Pantones, dos mais pop aos mais obscuros. Tinha paetê, jeans, roupa nova ainda com etiqueta e abadá de 2002. Quem visse seria capaz de jurar que não cabia mais um lenço de seda lá dentro, mas alguma mágica acontecia toda vez que eu chegava com uma sacolinha nova em casa. E eu sempre me lembrava de uma analogia que a minha avó fazia: a barriga da gente é como um salão da corte. Não importa quão cheio o salão esteja, o povo sempre se aperta um pouquinho para abrir caminho para o rei entrar. O rei, no caso da minha avó, era a sobremesa. No meu caso, o salão real era o armário e o rei era, claro, a aquisição mais recente. O problema é que toda semana havia um rei novo dando o ar da graça.

Sem raciocinar, arranquei meia dúzia de peças dos cabides e joguei tudo na cama, na esperança de que as deusas da moda me iluminassem e, em meio à bagunça, um look extraordinário se revelasse como por mágica. Uma calça social amarela, um blazer vermelho, um vestido longo com uma estampa abstrata grande em verde, branco e preto. Nada com nada. Infelizmente, não era daquela vez que o milagre fashion iria acontecer.

Já eram nove da manhã, então me contentei em apelar para o meu parceiro das manhãs calamitosas: um macacão azul-marinho, prático e sem graça em igual medida. Pelo menos não precisaria pensar em combinações. O coitado do macacão era daquelas peças que já são um look pronto — sem nenhum encanto, mas pronto. Não era o dia de ficar brincando de formar casalzinho com o acervo de blusas e saias ou calças solteiras que habitavam a cidade superpopulosa que era o meu armário. Macacão já é, por natureza, independente, autossuficiente. É botar e sair.

O cérebro, que tinha acabado de engatar a primeira, lembrou que faltava o sapato. Olhei para a prateleira na parede e, por um instante, esqueci o caos. Lá estavam eles, meus 32 pares, todos milimetricamente dispostos, ordenados por cor e modelo, cada pé colocado exatamente a dois centímetros de distância do seu irmão gêmeo. Era o retrato mais perfeito de uma organização que beirava a obsessão e me enchia de orgulho. Meu coração chegava a suspirar, inebriado pela paz de espírito proporcionada por aquela linda linha degradê. E, em meio àquele êxtase momentâneo, eu me perguntei: como pode um mesmo quarto abrigar o caos e a perfeição, um do ladinho do outro?

Eu me dei ao luxo de ponderar sobre qual sapato escolher para elevar a outra potência o meu macacão sem graça. Tênis mais colorido para um look moderninho? Escarpim vermelho para encarnar a mulher poderosa? Eram 9h15. Optei pelo segundo. Já que ia chegar atrasada, melhor que fosse a bordo do escarpim do poder. Já dizia o ditado: "Vista-se para o cargo que você quer ter", ou, no meu caso: "Vista-se para o emprego que você não quer perder".

Não dava mais tempo de escolher a bolsa. Catei a mesma que tinha usado no dia anterior, que já me aguardava no sofá, ao lado da porta. Por sorte, a bendita era desses acessórios que dispensam acompanhamentos. Amarelona e grande o suficiente para ocultar um corpo. Ela sozinha já fazia o look. Não era de marca gringa nem nada, mas tinha sido cara, não vou negar. Paguei em oito prestações e me convenci de que era um belo investimento, mas, antes mesmo de quitar a última parcela, ocorreu um pequeno acidente com um vidro de base e uma tampinha solta que se perdeu lá dentro. Desde então, toda vez que ia procurar as chaves de casa e dava de cara com aquele forro amarelo manchado, eu lembrava que investimento em bolsa é realmente um investimento de risco.

Mas não era hora de me autoflagelar por erros do passado. Abri a porta e chamei o elevador. Enquanto ele não vinha, ouvi a maçaneta da porta da vizinha girar e comecei a apertar o botão do elevador freneticamente, como se isso fosse fazê-lo acelerar a subida até o 11º andar. Calma, não me julgue ainda. Eu asseguro que, se você conhecesse dona Lúcia, faria o mesmo. A velhinha deve ter seus duzentos anos e se movimenta muito vagarosamente. Se minha única queixa contra ela fosse sua lentidão, tava tudo certo, mas a verdade é que a criatura era um ser humano ruim. O povo acha que velhinho é tudo fofo e gente boa. Pois eu estou aqui para te falar por experiência própria: não é, não. Pessoas ruins também envelhecem e, se a vida não dá um jeito de consertar, elas só vão piorando com a idade. Dona Lúcia é exemplo vivo disso, se é que ainda está viva. Às vezes eu me perguntava se ela não tinha morrido e virado um fantasma ranzinza que assombrava os moradores do prédio com sua permanente cara fechada e seus comentários desagradáveis.

Já era. A porta se abriu e vi aquele cabelo armado de laquê despontar para fora. Dei um bom-dia, acompanhado de um aceno de cabeça e um sorriso tão amarelo quanto a bolsa que eu carregava a tiracolo. Ela respondeu com um grunhido indecifrável composto apenas por consoantes:

— Hmphr.

O elevador chegou, abri a porta e acenei novamente para que ela entrasse. Com seu passo de lesma cansada, ela iniciou a caminhada até o interior da cabine. Ao mesmo tempo, comecei uma contagem mental para tentar me acalmar e ver se o tempo passava mais rápido. Parei em 137, com dona Lúcia arrastando a segunda perna para dentro.

— Pra qual andar a senhora vai? — perguntei, me oferecendo para apertar o respectivo botão. Antes que eu pudesse terminar a frase, o braço fino dela atravessou na minha frente e a mão magra com veias aparentes apertou o G, de garagem. Mais um grunhido de consoantes. Estiquei a mão novamente e apertei o T, de térreo. Ela me olhou com seu olhar de desprezo e disparou:

— Ainda sem carro? Eu preferiria morrer a morar em São Paulo sem um carro.

Nem me fale, dona Lúcia, eu preferiria morrer a ter esta conversa pela milésima vez, pensei.

O elevador parou no térreo e, num microato de rebeldia, saí sem me despedir. O ponto de táxi parecia chamar meu nome, mas resisti à tentação. Com o trânsito de São Paulo, o táxi não seria capaz de compensar o meu atraso e ainda me custaria um dinheiro que, honestamente, eu não tinha. Tentei andar a passos largos até o ponto de ônibus, a exatos dois quarteirões de casa, mas o salto alto me obrigava a diminuir o ritmo. Paralelepípedos e pressa definitivamente não foram feitos para o escarpim da mulher poderosa.

Por sorte, alcancei o ponto bem a tempo de ver o Socorro chegando. Sim, o nome do ônibus que fazia a rota da minha casa até o trabalho era Socorro, e, sinto dizer, fazia jus ao nome. Não importava a hora do dia, o Socorro estava sempre lotado. Repare que eu não disse "cheio", eu disse "lotado". Era tanta gente amontoada uma por cima da outra que o povo lá dentro praticamente caía para fora quando as portas se abriam (qualquer semelhança com as bolsas no meu armário era mera coincidência). Inúmeras vezes já tive que me resignar em deixar o Socorro da vez passar e esperar mais dez minutos pelo próximo, de tão lata de sardinha que a situação lá dentro se encontrava. Mas aquela manhã de março em 2011 não era um desses dias. Eu não tinha escolha, precisava entrar na lata de sardinha de qualquer maneira. Respirei fundo e consegui enfiar o corpo todo no espaço em que, a rigor, só caberia um terço de mim. Era tanto aperto que não consegui levantar os braços para me segurar nas barras de apoio. Quando o ônibus saiu, tentei me equilibrar entre as portas fechadas e a massa humana e só consegui pensar: *Socorro*.

* * *

Já passava das 10h30 quando o Socorro me deixou em frente ao prédio da agência de publicidade em que eu trabalhava. Subi até o sétimo andar, onde ficava o meu departamento. Ao sair do elevador e entrar pela porta, senti todos os olhares se voltarem para mim. Caminhei apressada até a minha mesa, evitando contato visual. Liguei o computador e, enquanto a maçã da Apple aparecia na tela, suspirei fundo pela primeira vez desde que abrira os olhos.

Eu adoraria dizer que o caos daquela manhã era um episódio isolado. Eu sempre quis ser uma dessas pessoas que acordam antes do sol nascer, fazem meia hora de meditação, praticam uma hora de ioga e, às sete da manhã, já estão de banho tomado, cabelo seco e roupa impecável, sentadas numa mesa milimetricamente arrumada, prontas para tomar um café da manhã farto porém saudável enquanto ouvem uma bossa nova e leem o jornal. Mas essa não sou eu.

Prazer, meu nome é Joanna. Tenho 26 anos e durmo com a TV ligada e uma taça de vinho na mesa de cabeceira quase todas as noites. Esqueço com frequência de tirar a maquiagem antes de ir para a cama e invariavelmente acordo mais tarde do que deveria e com o rímel borrado no travesseiro. Odeio acordar cedo, pratico um total de zero esporte e, se dependesse apenas de mim, minha geladeira teria densidade demográfica menor do que a da Islândia. Essa sou eu. Ou era, lá em 2011.

Apesar dessa introdução não muito lisonjeira, eu gosto de acreditar que sou dessas pessoas que prosperam no caos. Mesmo com meus péssimos hábitos alimentares e noturnos da época, conseguia desempenhar relativamente bem as demais funções da vida adulta. Tinha amigos queridos, uma vida social bem ativa (que, preciso admitir, contribuía muito para as minhas manhãs caóticas) e um emprego legal que me pagava direitinho.

Aliás, falando nele, o computador tinha acabado de abrir na minha agenda. Tentei lembrar que dia era. Quarta? Quinta? Esse meio da semana sempre me confundiu um pouco. Era quinta. Uma nova onda de adrenalina semelhante à que me acometera quando abri os olhos pela manhã invadiu o meu corpo. Reunião. Com cliente. Tinha começado meia hora antes.

Saí correndo da mesa e subi três andares de escada (seria esse o segundo exercício do dia?). Esbaforida, abri a porta da sala de reunião e senti outra vez todos os olhares se voltarem para mim (ou seria contra mim?). Meu chefe, um cara gente boa, de seus trinta e poucos anos, em geral muito bem-humorado, balançava levemente a cabeça num gesto discreto porém claro de desaprovação. Entrei rápido e puxei uma cadeira tentando fazer o mínimo de barulho possível, mas minha total falta de compostura aliada à respiração ofegante não me permitiram atingir a discrição desejada.

Olhei para o slide no telão, cheio de números que não me diziam nada, e tentei parecer genuinamente interessada. Embalada pela voz tediosa do diretor de marketing, procurei me entreter para não dormir. Rabisquei o papel do caderno com anotações fictícias, na tentativa de disfarçar as pálpebras pesadas. Olhei para baixo e reparei no macacão, aquele sem graça que se oferecera para mim horas antes. Tentei me lembrar de onde ele tinha vindo e por que tinha resolvido adquiri-lo, mesmo com toda a sua sem-gracice.

Fui instantaneamente transportada para o frenesi da Quinta Avenida, em Nova York, em meio ao tumulto dos pedestres, onde me vi parada em frente a uma loja enorme. Nas vitrines não se via nenhum manequim, apenas cartazes vermelhos com uma única palavra: "*Sale*", o equivalente anglo-saxão da nossa boa e velha "liqui".

Era o último dia de viagem e eu já tinha comprado muito mais do que deveria. A verdade era que eu não tinha dinheiro nem para viajar, mas o namorado ia a trabalho e a hospedagem ia sair 0800, então dei o meu jeito: parcelei em quantas vezes o cartão me permitia e embarquei com a conta zerada e a alma cheia de fé de que o cheque especial conseguiria sobreviver ao rombo.

Os cartazes vermelhos me puxavam para dentro da loja como um ímã. Hesitei por alguns segundos. A mala que fora vazia já estava cheia, e o meu cartão de crédito, exausto de tanto agito. Melhor não. Cheguei a virar as costas para ir embora quando ouvi uma voz dentro de mim gritar: *Tá maluca, é? Você tá em Nova York e vai perder uma oportunidade dessas? Preciso te lembrar como é liquidação aqui na gringa? É tudo de 60% de desconto pra cima. Larga de bobagem e vai lá dar uma olhadinha! Se não tiver nada que valha a pena, você vai embora.* Fazia sentido.

Entrei e demorei um instante para me localizar em meio ao caos. Nas araras não havia mais nenhuma ordem lógica nem resquício de organização. Saias, camisas, vestidos e calças se amontoavam em cabides tão colados uns nos outros que era difícil abrir espaço suficiente para identificar o que era o quê.

Era tanta coisa e tanta zona que não dava para perder tempo olhando cada peça com atenção. Não, o *modus operandi* de liquidações exigia um misto de instinto e objetividade que eu havia passado anos aperfeiçoando. Minha técnica consistia em ir direto na etiqueta de preço. Daí, se fosse barato mesmo e minimamente interessante, eu nem olhava o tamanho, já colocava debaixo do braço para o teste do provador.

Lá pelo meio da terceira arara, dei de cara com o tal macacão. Olhei a etiqueta e senti aquele rebuliço por dentro. Oito dólares e bem do meu tamanho. Cheguei a arrancar o cabide da arara, mas olhei o bichinho por inteiro e constatei pela primeira vez a já relatada ausência de graça. Coloquei de volta e segui em busca de tesouros mais valiosos e igualmente (ou mais) baratos. Eu não tinha nem chegado ao final da arara quando percebi uma mulher retirando o mesmo macacão do cabide e seguindo em direção ao provador.

A moça devia ser um pouco mais velha do que eu, 32, 33 anos talvez, e estava com um look monocromático verde bem interessante. Claramente tinha bom gosto e viu no macacão alguma coisa que eu não tinha sido capaz de ver. Decidi seguir minha companheira caçadora de tesouros até o provador. Entramos quase juntas. Ela numa cabine, e eu na cabine ao lado.

Já tinha experimentado cinco das seis peças que carreguei comigo lá para dentro quando ouvi a cortina vizinha se abrindo. Deixei a saia que faltava experimentar de lado, me vesti rapidinho e saí da cabine a tempo de ver a vizinha seguindo em direção ao caixa. Em seus braços estavam dois vestidos que eu também tinha achado interessantes e o tal do macacão sem graça.

Entrei na fila do caixa bem atrás dela e resisti ao ímpeto de puxar papo, elogiar sua roupa, perguntar onde ela havia comprado. Sempre tive a sensação de que duas pessoas que compartilham do mesmo senso estético têm grande potencial de se tornar amigas.

Enquanto a fila não andava, olhei para as peças que eu carregava. Uma jaqueta, duas blusinhas, uma saia: 51 dólares no total. Eram roupas que mudariam a minha vida? Não. Mas, até aí, que roupa é capaz disso? Eu me convenci de que estavam muito baratas e seria burrice não levar todas. Pensei no quanto aquilo tudo ia custar no Brasil e no quanto eu estava, na verdade, economizando por comprar na liquidação gringa. Eu sei o que você está pensando. Podia não comprar também, né? Mas garanto que essa alternativa não passou pela minha cabeça.

Eu continuava espiando minha possível futura amiga quando ela parou em frente ao caixa, cumprimentou a atendente e foi entregando as peças, uma a uma, para que fossem lidas pelo scanner. Quando chegou a vez do macacão, ela hesitou. Segurou com as duas mãos, olhando diretamente para ele, pensou por um instante e o deixou de lado, depois fez o pagamento das demais e foi embora com a sacola de papel marrom a tiracolo.

Era minha vez. Parei em frente ao caixa e vi o macacão ainda jogado ali no balcão, bem ao meu alcance. Enquanto entregava as roupas para a vendedora, tentei elaborar o motivo pelo qual ele havia sido deixado para trás pela minha amiga em potencial. Ela havia gostado dele a ponto de levá-lo até o caixa. Será que, como eu, tinha gastado demais? Talvez já tivesse alguma coisa parecida em casa. Ou talvez tenha ficado ruim no corpo. Não... Se fosse isso, ela o teria abandonado na saída do provador. O cérebro não chegou a uma conclusão definitiva. Mesmo assim, num ímpeto irracional, puxei o bendito e o entreguei nas mãos da vendedora:

— Pode incluir esse também — eu disse em inglês.

Ah, meu orçamento já estava estourado mesmo, não iam ser oito dólares que fariam a diferença. Saí da loja me achando a rainha da pechincha, a maior caçadora de tesouros fashion de todas as Américas. Senti um misto de esperteza e sorte, como se tivesse visto alguém deixando uma nota de cem dólares cair no chão e, na impossibilidade de devolvê-la ao devido dono, tivesse acabado embolsando o dindim. Sim, eu estava gastando dinheiro, mas a sensação era de estar ganhando dinheiro. Eu sei, não faz o menor sentido e é difícil de entender mesmo.

Anos depois do ocorrido e não mais sob os efeitos psicotrópicos momentâneos que etiquetas vermelhas eram capazes de despertar no meu organismo, me dei conta da insanidade do episódio e concluí o óbvio: a moça não tinha levado o bendito justamente por ter percebido sua demasiada falta de interessância. E era exatamente isso que eu deveria ter feito.

— O que você acha, Jo?

A pergunta me pegou de surpresa, e num instante fui arremessada de volta à sala de reunião. Do que era mesmo que eles estavam falando? Procurei não transparecer o meu desespero, mas foi em vão. O coração já havia disparado, e a palma da mão suava frio. Abri a boca numa tentativa de me obrigar a dizer alguma coisa, mas não consegui, nem tinha o que dizer. Gaguejei pedaços de palavras sem sentido. Ao perceber meu pânico, meu chefe, sentado do outro lado da enorme mesa branca, interveio, tirando a atenção de mim e levando o assunto para outro lugar.

Minha vontade foi me afundar na cadeira e desaparecer para todo o sempre. Voltar para debaixo das cobertas de onde eu nunca deveria ter saído. Passei o resto da reunião tentando não ceder à vontade incontrolável de cair no choro. Sabe quando a água se acumula na linha dos cílios e você tem consciência plena de que, se piscar, aquela barragem vai transbordar sem freio, destruindo tudo ao redor? Passei a meia hora seguinte de olhos arregalados com medo da tromba-d'água que qualquer movimento em falso poderia acarretar. Já tinha passado vergonha suficiente para um dia.

Saí da sala com pressa para não ter que encarar ninguém e voltei para minha mesa derrotada. Fui recepcionada por um salão vazio. Melhor assim. Ninguém me esperando para perguntar como havia sido a reunião, nenhuma testemunha da minha desgraça. Já passava de uma da tarde e todo mundo saíra para o almoço. No lugar da fome, senti a vergonha latejar no estômago. Precisava sair, dar uma volta, me recompor antes de encarar a outra metade daquele dia trágico. Catei a bolsa amarela e me aventurei novamente pelos paralelepípedos da rua, caminhando cabisbaixa, porém com destino certo.

Catorze minutos depois, suada e com bolhas nos pés, cheguei ao único lugar capaz de acalmar o meu coração num dia assim. Um templo de esperança, onde o passado não importava e o futuro era um mar aberto de possibilidades. Um oásis em meio ao caos da cidade e da minha vida, um lugar em que até a temperatura ambiente é perfeita: o shopping.

Ao entrar por aquelas portas, respirei fundo, como se o oxigênio ali dentro tivesse poderes curativos, como se fosse capaz de me purificar dos olhares de decepção, da sensação de fracasso. Ao pisar naquele chão de mármore cinza, senti o sangue quente correr de novo nas veias e uma carga de eletricidade reavivar meu corpo exausto.

O shopping estava lotado. Ainda na entrada, pessoas passavam por mim a passos rápidos, indo e vindo, andando com segurança, cheias de propósito. Tenho certeza de que, assim como eu, todas elas, quando estavam no mundo lá fora, agiam como baratas tontas, mas aquele lugar tinha algo de mágico, uma capacidade louca de nos reorganizar, de transformar baratas tontas em abelhas com uma missão a cumprir.

O movimento me causou uma mistura de ansiedade e excitação, mas confesso ter sentido também um alívio profundo ao perceber que, das dezenas de pessoas que passavam por mim, nenhuma me dava qualquer atenção. Ali eu não era louca nem descompensada, e a minha vida fora de ordem não importava. Ali meus erros não eram julgados, e meus impulsos ganhavam aplausos e pedidos de bis.

— Sim, senhora.

— Pois não, senhora.

— Por que não leva os dois, senhora?

Os pés cansados que me haviam levado até ali ganharam vida própria e, apesar do desconforto proveniente da combinação excessiva de salto e paralelepípedos, apressaram o passo, percorrendo um caminho que já sabiam de cor. Eu me deixei levar como um soldado ferido em combate carregado por seus companheiros na direção de algum remendo que o fizesse inteiro de novo.

Segui por corredores perfeitamente iluminados, passei por manequins perfeitamente vestidos, posicionados em vitrines perfeitamente organizadas, e me senti menos imperfeita só por estar ali. Por fim, o movimento parou. Eu tinha chegado ao meu destino. Olhei para cima e vi brilhar as quatro letras que eram o meu antídoto contra todo mal.

Num sussurro, saboreando cada letra, senti os sons rolarem pela língua e pelos dentes até saírem pelos meus lábios.

— Zara.

O nome soava como uma palavra mágica secreta. Meu coração confirmou: *pronto, Jojo, agora você está em casa.*

2

Algumas famílias vão à igreja, a gente ia ao shopping

Minha primeira lembrança de comprar uma roupa foi aos dez anos. Nove anos e cinquenta semanas, para ser mais precisa. Tenho uma memória muito boa, mas confesso ter certa (enorme) dificuldade de localizar minhas lembranças no tempo e espaço. Lembro de muitos episódios de consumo daquela minha primeira década. As visitas à Pakalolo para comprar a bermuda jeans que me acompanharia no ano letivo. As buscas anuais por um biquíni que pudesse urgentemente substituir o anterior cuja lycra já estava pedindo arrego depois de um verão inteiro de mar, areia e protetor solar. Mas são todas memórias soltas no tempo, flashes de momentos aleatórios pinçados pelo meu cérebro, episódios que se repetiam mas não me marcaram o suficiente para compor uma crônica completa, com dia, hora e lugar.

Esse episódio específico é diferente. Está tatuado nos meus neurônios. É o primeiro que consigo apontar exatamente onde, quando e como aconteceu e lembrar de cabo a rabo cada detalhe, cada cheiro, cada textura. Fecho os olhos e me torno aquela menininha de novo, aquela de cabelos muito lisos e compridos, sempre puxados para trás por um arco colorido, ou, como chamamos na Bahia, onde nasci e cresci, uma passadeira.

Sei que foi um sábado porque, na época, nenhuma loja abria aos domingos. Pois é, houve um tempo em que o comércio fechava por completo durante um dia inteirinho por semana. Parece outra era. Minha mãe e eu fomos ao shopping procurar uma roupa para minha festa, que aconteceria na semana seguinte. E aqui preciso fazer uma pausa para apontar o que pode ainda não ter ficado claro: aquela definitivamente não seria qualquer festa.

Para começar, tratava-se do meu primeiro aniversário de dois dígitos, minha primeira década. O número por si só já soava importante. Tão inteiro, tão redondinho. Acho que, depois dos dez, só mesmo cem para ser tão sonoro. Mas a verdade é que fazer dez anos era um passo na direção de sair daquele limbo esquisito que eu chamo de pós-criança fofa. É aquela fase estranha em que o ser humaninho não é mais aquela criança apertável que já foi, porém ainda está longe de ser o adolescente que por fim vai se tornar. É aquela fase em que você já cansou de todos os seus brinquedos, mas ninguém ainda te deu autorização para substituí-los por coisas mais interessantes, e a vida se torna um pêndulo frenético que oscila entre Barbies e cartas de amor, coragem para ver filmes de terror e vontade (envolta por uma certa vergonha) de pedir para dormir na cama dos pais. E, no meio dessa incongruência, minha festa parecia ser o início de uma nova fase da vida. Era o pêndulo apontando para o futuro.

Eu sempre amei festa de aniversário. Um mês antes eu já estava enchendo o saco de todo mundo lá em casa para organizar o evento. Durante meus nove primeiros anos, minhas festas foram no salão do prédio, daquelas com a mesa do bolo decorada com papel crepom e meu nome em cartolina colado na parede logo atrás, emoldurado por balões que a gente passava o dia da festa inteiro enchendo com o ar dos nossos próprios pulmões.

Mas, naquele 2 de abril de 1994, ia ser tudo diferente. Não ia ter decoração, nem balão, nem sinal de papel crepom cor-de-rosa. Não ia ter tema, nem brincadeiras, nem lembrancinha para os convidados. Pela primeira vez eu ia ter uma festa de gente grande. A minha festa — pausa dramática — ia ser numa boate. Não, meus pais não estavam loucos. Não se tratava de uma boate de verdade, mas uma casa de festas travestida de discoteca que só fazia eventos fechados para crianças e adolescentes.

Isso já seria o suficiente para deixar aquela Joanna aspirante a pré-adolescente em êxtase, mas vou compartilhar mais uma informação para deixar clara a dimensão emocional do evento: aquela seria a primeira festa de boate da minha turma inteira do colégio. Sim: o meu aniversário entraria para a história e seria lembrado para todo o sempre como o pioneiro das baladas da quarta série E. Nem tamanho eu tinha para acumular tanto status entre os meus amigos.

Passei semanas tentando controlar a ansiedade, contando minutos e segundos para o grande dia. Tudo tinha que dar certo, tudo precisava estar perfeito. Meu estômago havia se tornado uma permanente e selvagem nuvem de borboletas. Eu passava os dias tentando equilibrar uma excitação sem precedentes com aquele nervosismo infantil de quem teme acabar sozinha na pista de dança porque nenhum convidado apareceu.

A escolha da roupa era um pedaço crucial do sucesso desse evento. Eu não sei dizer exatamente por quê, aos nove anos e muitas semanas, eu já me importava tanto com a roupa que ia vestir. Não lembro se era uma coisa particular ou se minhas amigas também já compartilhavam da mesma noia. Só sei que a preocupação com o look da festa ocupava minha cabeça até enquanto eu dormia.

Nas noites que antecederam o evento, eu sonhei muito. Primeiro ficava horas deitada no escuro, olhando para o teto de olhos bem abertos e com a cabeça efervescendo. Tarde da noite, já exausta, o sono vencia e dominava o corpo, mas o cérebro seguia no agito, inventando cenários de festa ora fantásticos, ora assustadoramente realistas. Os sonhos seguiam sempre o mesmo ritmo. Começavam bem, festa rolando, tudo lindo, todos os meus amigos lá. Em algum momento a energia mudava. Num deles eu percebia algumas pessoas rindo e uma amiga me chamava num cantinho para me avisar que eu estava sem as calças, pelada da cintura para baixo. Em outro sonho eu dançava feliz da vida na pista quando os meninos começavam a apontar para mim e gritar: "Pijama! Pijama!". Os gritos me faziam olhar para baixo e notar que eu estava vestida com a minha camisolinha de dormir. Num outro enredo eu recepcionava os convidados e percebia que todas as meninas tinham ido vestidas com a mesma roupa que eu.

A ida ao shopping vinha, portanto, carregada de uma responsabilidade pesadíssima: acertar o look e evitar a concretização das catástrofes que andavam povoando os meus sonhos.

Já naquela época, nem me ocorria a possibilidade de passar meu aniversário com alguma das roupas que então ocupavam o meu pequeno armário infantil. Roupa de aniversário tinha que ser zero quilômetro. Confesso nem me lembrar das roupas que usei nas festas antes dessa, mas sei que o ritual "sair para comprar roupa de aniversário" já estava tão enraizado na minha mente que, nesse ano em questão, a ida ao shopping me pareceu tão previsível quanto o dia raiar toda manhã naquela Salvador dos anos 90.

A verdade é que ir ao shopping não era novidade. Raros eram os sábados em que minha mãe e eu não estávamos batendo perna num shopping. Algumas famílias vão à igreja, a gente ia ao shopping. Meu pai nunca compartilhou do nosso gosto pela peregrinação de loja em loja e seria capaz de dar um dedo da mão direita para não ter que passar o dia cultuando o altar do consumo conosco. Meu irmão aparentemente havia herdado esse mesmo gene da antipatia pelas compras, e era bem raro nos acompanhar, sempre a contragosto. Já para mim, as idas ao shopping com minha mãe nunca foram uma obrigação e não passavam nem perto de significar sofrimento. Pelo contrário. Aquele passeio aos sábados era, disparado, o momento mais legal da minha semana.

Minha mãe sempre trabalhou muito. Por um longo tempo teve dois empregos, um que lhe ocupava o dia todo e outro à noite. Chegava em casa lá pelas 22h, quando eu já estava indo dormir. A gente tinha uma relação de muito amor e ela estava comigo sempre que podia, mas acabava sobrando pouco tempo de segunda a sexta para curtir a companhia uma da outra. E aí no sábado, finalmente, ela era toda minha.

Eram tardes inteiras num entra e sai de loja, experimentando tudo o que dava vontade, fazendo o mesmo roteiro, passando pelos mesmos corredores, cumprindo um itinerário rígido de lojas preferidas, experimentando um tanto de coisa, rindo das novas tendências que considerávamos estranhas, dando opinião na roupa uma da outra e comentando os looks do povo que passava por nós. Vira e mexe a gente voltava para casa com alguma coisa nova, mas nossos dias juntas no shopping eram muito mais do que isso.

Sábado era dia de andar de mãos dadas com ela, hábito que

adentrou a minha adolescência. Era dia de jogar conversa fora enquanto a gente almoçava na praça de alimentação. E naquelas conversas, entre o McLanche Feliz e o namoro das vitrines famosas, ela me ensinava sobre a vida.

"Não existe almoço grátis" era sua frase mais célebre, dita enquanto passava o cartão de crédito para comprar aquilo que queria — fosse para mim ou para ela. Talvez você não saiba, mas, naquela época, passar o cartão de crédito era um processo que tomava certo tempo, o que permitia que a conversa se desenrolasse livremente.

— Se tem um homem pagando a sua conta, ele tem o controle sobre você — ela dizia com semblante sério. E finalizava. — Não tem nada melhor do que ter o seu próprio dinheiro, minha filha. E poder gastá-lo do jeito que você bem entender, sem ter que dar satisfação pra ninguém.

Também foi ela que me ensinou que uma boa compra exige pesquisa. E que não tem problema nenhum rodar o dia inteiro e depois voltar lá na primeira loja para comprar a primeira coisa que você experimentou. Afinal, o bater perna, o entra e sai de loja e os papos de provador eram, todos, parte da diversão.

É que o rolê do shopping era o nosso rolê. Era ali que eu sentia o nosso elo pulsar mais forte. Passear por aqueles corredores era nosso pretexto para estarmos juntas, só nós duas. Mas, naquele sábado em questão, a gente tinha uma missão.

Fomos, claro, ao Iguatemi, nosso shopping de estimação. Ficava perto de casa, era grande e tinha de tudo. Era um dia de sol e céu azul, coisa rara para aquela época do ano em Salvador. O resto do Brasil tem essa ilusão de que, na Bahia, o tempo é sempre assim, ensolarado, com aquela brisinha gostosa que sopra do mar. Sinto informar, mas, do fim de março até julho, o nível pluviométrico se assemelha bastante ao de Londres. É chuva atrás de tempestade ou, como a gente fala por lá: toró atrás de toró.

Mas nesse dia são Pedro sorriu para mim e nos proporcionou um céu de brigadeiro, acompanhado de um calor gostoso, o que provavelmente encorajou boa parte dos habituais frequentadores do shopping a mudar suas programações e ir aproveitar o dia na praia. O que por sua vez proporcionou um verdadeiro milagre: em plena tarde de sábado, o Iguatemi se encontrava relativamente vazio.

Os shoppings naquela época eram bem diferentes do que são hoje. A abertura comercial do Brasil tinha rolado só quatro anos antes e ainda não havia dado tempo do país ser invadido por marcas gringas. *Fast fashion* era um conceito de que a gente nem ouvia falar. Hoje, se você for a um shopping de classe média no Rio, em Salvador ou em Goiânia, provavelmente vai dar de cara com os mesmos letreiros. Mas aquela era uma época sem Renner, sem Riachuelo, sem Zara. Os corredores eram, em sua maioria, povoados por confecções locais, lojas pequenas conhecidas mesmo pela galera da região, com exceção de uma ou outra loja de departamentos mais famosa, tipo a Mesbla, que o Deus do varejo a tenha.

Eu era rata do Iguatemi. Conhecia todas as lojas de cor e, antes de chegar lá, já tinha traçado o mapa do tesouro todinho na cabeça. Paramos o carro com facilidade no estacionamento mais perto da entrada. Um corredor estreito e com teto de vidro o conectava com o prédio principal. Os raios de sol que passavam pelo vidro e encontravam o chão faziam o mármore branco brilhar e, apesar da ansiedade, entendi aquilo como um sinal de que ia dar tudo certo.

No período de mais ou menos seis horas em que permanecemos por lá, calculo ter entrado em pelo menos umas dez lojas de roupa infantil. Eu não tinha muita noção do que estava procurando. Não sabia se queria um vestido ou uma calça ou saia com um topzinho. Meu único critério era que o look eleito tinha que ser lindo a ponto de ter cara de roupa de aniversariante, sabe? Aquela em que qualquer convidado bate o olho e já se liga logo que se trata da pessoa mais importante da festa.

Na época acho que ainda não dava para dizer que eu tinha um estilo definido, simplesmente porque eu não pensava em moda como um assunto em si. Moda para mim se resumia às roupas que eu escolhia usar, às coisas bonitas que eu via nas vitrines, às roupas que a Xuxa e as Paquitas usavam nos filmes e eu ficava com vontade de copiar. A bateção de perna se fazia, portanto, necessária para ajudar a aspirante a fashionista a perceber quando o look certo fosse revelado.

O processo era o mesmo em todas as lojas e começava pelo raio X das araras. De lá, montanhas de roupas eram selecionadas para me acompanhar até o provador e ser devidamente experimentadas. A cada peça vestida, uma fresta se abria para revelar apenas uma cabeça que parecia flutuar entre as cortinas.

— E aí? — a cabeça me perguntava. — Ficou bom?

Daquelas montanhas de opções iniciais, o que passava pelo nosso crivo — meu e da cabeça flutuante de minha mãe — era selecionado para competir na rodada final. Uma espécie de Copa do Mundo com direito a segunda fase mata-mata. A diferença era que, em ocasiões muito especiais, o nosso campeonato permitia dois campeões. E foi o caso naquele ano. Depois de experimentar tudo, não consegui escolher entre os dois finalistas da mesma loja, e decretamos uma vitória conjunta. Dois looks vencedores subiram ao pódio e me acompanharam até em casa: um conjunto estampado composto por uma calça de cintura alta e um top com decote ombro a ombro e mangas compridas; e um conjunto de short e colete azul-marinho com risca de giz. Sim, nem tinha completado dez anos ainda e já estava toda interessada numa alfaiataria.

Uma semana depois, chegou o dia de escolher qual dos meus dois campeões seria eleito para o grande evento. No conforto do meu quarto, em frente ao espelho que ficava na parte interna da porta do armário, vesti ambos de novo. O primeiro me pinicou. Como eu não tinha percebido isso na loja? Ou será que percebi e deixei passar em nome da beleza do conjunto? O tecido era um crepe áspero, e o elástico do top roçava nos ombros e incomodava. Fora o decote que, se eu levantasse um pouco os braços, ia parar no pescoço. O segundo era confortável e me deixava livre para dançar, mas era levemente menos lindo do que o conjunto pinicador. Eita, dúvida cruel. Espelho, espelho meu, valia a pena abrir mão do conforto para estar um tiquinho mais linda na festa de dez anos? Segundo o espelho e os diabinhos que habitavam minha cabeça já naquela época, a resposta era clara: sim. Pelo jeito, na hierarquia das prioridades do look da aniversariante, beleza vencia conforto disparado. Fui com o que pinicava.

Era o iniciozinho da festa, e os primeiros convidados começavam a chegar. Eu andava de um lado para o outro tentando disfarçar o nervosismo enquanto a minha mãe me perseguia implorando por algumas fotos antes que o agito começasse de vez. E foi enquanto eu passava o braço por trás das costas do meu irmão para um registro em frente à mesa do bolo que ela chegou. Lu era minha melhor amiga. Passávamos o tempo inteiro grudadas na escola e, nos fins de semana, nos refugiávamos uma na casa da outra. Minha mãe e a dela eram fisicamente muito parecidas, e o nosso sonho era descobrir um elo sanguíneo perdido capaz de nos oficializar como pertencentes à mesma família.

Lu era linda. Dessas pessoas bonitas desde bebê, que vão ficando ainda mais bonitas com o passar do tempo, até mesmo naquela fase da pré-adolescência em que todo mundo fica meio estranho. Morena, dona de olhos pretos profundos e expressivos e cabelos castanhos naturalmente ondulados que cobriam os ombros. Mas foi a pintinha em cima do canto esquerdo da boca que, ainda naquela época, lhe rendeu o apelido de Cindy, em homenagem à top model dos anos 90 Cindy Crawford.

Ela chegou carregando num dos ombros a alça da sacolinha que continha o meu presente. Seus olhos brilhavam com a luz do globo de espelhos, e o sorriso se abriu ao me ver. Sua alegria ao se deparar comigo contrastou com o arrepio na espinha que senti ao vê-la vindo em minha direção de braços abertos. Tive que piscar para ter certeza do que estava vendo: a minha melhor amiga havia desembarcado na minha festa a bordo do mesmo conjunto de risca de giz que tinha empatado na minha final da Copa do Mundo. Aquele que, até poucas horas atrás, estava no páreo para ser o *meu* look eleito. Era o meu pesadelo quase se tornando realidade.

A verdade é que eu não sei como nem quando a semente do constrangimento de ver alguém, no mesmo ambiente que eu, usando a mesma roupa, tinha sido plantada em mim. Só sei que na minha festa de dez anos ela já estava lá e, por pouco, não estragou tudo. Agradeci mentalmente à força maior que me levou a escolher o modelito pinicador em detrimento do outro, mais confortável.

Eu queria estar com cara de aniversariante. Perfeita para os registros que durariam uma vida. Mas hoje, quando olho o álbum de fotos daquele dia, o que me salta aos olhos é o meu desconforto. Eu era uma criança e, para além do look, queria me divertir. Pular, dançar, abraçar os meus amigos, rodar até as pernas não aguentarem, cantar parabéns dez vezes em homenagem a cada ano de vida, como era de praxe nos aniversários da galera. E eu fiz tudo isso… apesar da roupa que me atrapalhava. Em frente à mesa do bolo, uma pequena Jojo aparece linda, porém claramente incomodada. Cabelo suado puxado para trás com um arco preto e bochechas vermelhas de calor. Em quase todos os registros, é possível me encontrar puxando o maldito decote dos ombros para baixo ou soprando para dentro da blusa de poliéster.

Depois daquele dia, não me lembro de ter voltado a usar o tal conjunto que pinicava. O simples fato de ele não ser mais inédito parecia tê-lo tornado ainda mais pinicante. E assim, após um único uso, o conjunto perdeu o posto de estrela do armário e foi renegado para o fundo da gaveta, até que por fim desapareceu. Como era de poliéster, poucas são as chances de ter se decomposto naturalmente depois do primeiro e único uso. Mais provável que tenha sido passado adiante para alguma outra criança que provavelmente não tinha alternativa a não ser vestir o que os outros lhe doassem, mesmo que pinicasse um pouco — ou muito.

3

De inocente, aquela cabine não tinha nada

Entrei na fila do provador com os braços carregados de roupas. Ao chegar a minha vez, a vendedora foi logo avisando:

— Só pode entrar com oito.

— Tudo bem, posso deixar o resto com você e experimento depois?

Ela concordou com a cabeça. Contamos a quantidade de peças juntas. Ao chegar na oitava, ela me entregou uma placa preta com o número oito impresso em branco, enquanto retirava das minhas mãos as outras seis peças que foram barradas do primeiro round.

Eu já estava acostumada, afinal eram anos de prática. Tanto que eu já havia criado um método. Ele consistia em:

1 Rodar a loja em sentido horário olhando primeiro as araras encostadas nas paredes e depois as ilhas que ficam soltas no meio da loja, assim conseguia garantir que todo o perímetro seria percorrido e eu não perderia nadinha.

2 Seguir a intuição e pegar *todas* as roupas que me chamassem a atenção por qualquer motivo que fosse: podia ser a cor, a estampa, um detalhe charmoso, um caimento diferente, um brilho refletindo as luzes fluorescentes da loja. Esse não era o momento de filtrar. Tem muita roupa que, no cabide, a gente não dá nada e, colocada no corpo, se transforma. Então, quanto mais peças você pega, maiores as chances de encontrar um tesouro.

3. Verificar o tamanho correto para não perder tempo levando peça de tamanho errado para o provador. Quando não sabia exatamente o tamanho que ia servir para mim, já levava dois para garantir que um deles daria certo.
4. Aproveitar o tempo na fila do provador para agrupar as peças em lotes com o número máximo de itens que a loja permitisse que fossem levados para dentro da cabine de uma só vez — oito, no caso da Zara. Pode ser que eu quisesse provar duas peças juntas, tipo uma saia e uma blusa, portanto, era importante que essas peças fossem alocadas num mesmo lote.
5. Experimentar todas e separar as que não dessem certo.
6. Entregar as eliminadas para a vendedora em troca do segundo lote e repetir o processo.

Pode parecer chato e metódico para alguns, mas posso garantir: é deveras eficaz. E eu amava esse processo todo.

É que aquele tempo dentro do provador era o meu momento zen, de presença absoluta, quase uma meditação. Quando eu estava ali, naquele troca-troca de roupa, eu me desligava do mundo. Dentro daquele cubículo, só tinha eu, o espelho e as roupas bonitas que aguardavam para serem vestidas. Minha atenção estava toda ali, em provar cada peça, sentir o toque dos tecidos na minha pele, brincar de juntar coisas que estavam em araras separadas, como um cupido, unindo casais que foram feitos um para o outro mas nunca tinham se cruzado antes. E, a cada roupa que colocava, eu me imaginava em outro lugar. De vestido soltinho e sandália rasteira numa viagem de férias no Sudeste Asiático, de tricô pesadão e calça xadrez passeando pelas vielas de Paris, de salto alto e saia de paetês tomando bons drinques em algum *rooftop* chique em Buenos Aires.

Embora meus sonhos turísticos estivessem absolutamente fora do alcance da minha conta bancária naquele momento, experimentar não custava nada. Era entretenimento gratuito. Não tinha pressão, não tinha compromisso nem arrependimento. Tipo flertar com desconhecidos na balada. Você olha, abre um sorrisinho maroto e sente aquele friozinho gostoso na espinha quando percebe o alvo olhando de volta. E, mesmo que a paquera não dê em nada, já está bom, deu aquela massageada no ego, tirou a cabeça daquele casinho mal resolvido, daquele ex traste que de vez em quando manda um "oi, sumida" só para depois desaparecer outra vez.

Entrei na cabine e fechei a cortina. Olhei imediatamente para o chão e constatei a bola de cabelo e poeira que habitava cada um dos provadores da Zara. O contraste não poderia ser mais dramático: do lado de fora, a beleza estéril da loja enorme, limpa, arrumada, chique, visível para todo mundo que passava pelos corredores do shopping. Ali dentro, a sujeira acumulada no pequeno provador, reservada só aos olhos daqueles que já morderam a isca. Confesso que a sujeira no chão tirava um tanto da sublimidade da experiência, mas não desisti. Também já estava mais que acostumada. Eram anos frequentando provadores pelo Brasil afora, e os da Zara especificamente eram campeões de imundice. Mas fazer o quê, né? Parar de ir à loja? Sem chance. Eu já estava ali dentro, eu e a sujeira já havíamos nos tornado cúmplices uma da outra. Tirei os sapatos, mas fiquei em cima deles para evitar o contato direto da sola do pé com o chão podre.

Equilibrada precariamente em cima do escarpim, vesti as peças uma de cada vez e fui dando notas para a performance individual.

Minissaia de tweed preto e branco: caiu bem, mas não fez brilhar os olhos. Nota 7.

Calça número 1, social vermelha: muito vibrante, vou virar piada daquelas "Quem é um pontinho vermelho atravessando a rua?". Nota 5.

Calça número 2, jeans escuro com modelagem levemente *flare*: caimento perfeito, chique, vibe anos 70, cheia de personalidade. Nota 10.

Aliás, cadê aquele blazer que eu tinha separado para experimentar com a calça? Aquele azul-marinho com modelagem mais larguinha que eu achei a cara da Annie Hall?

Puxei a cortina, coloquei o rosto para fora e chamei pela moça que mantinha meu segundo lote de peças em cativeiro.

— Oi, posso pegar o blazer que ficou aí com você? Queria experimentar ele com essa calça. — Coloquei a perna para fora também, me agarrando à cortina para cobrir a parte de cima do meu corpo, que se encontrava sem roupa, numa manobra ousada que quase me fez cair seminua para fora do provador.

Eu já tinha vestido uma blusa quando vi a mão da atendente invadir a cabine e me entregar o blazer. Imediatamente o joguei por cima do conjunto, e *voilà*.

A mulher que me olhava de volta no espelho não era a mesma que levantara da cama atrasada, muito menos a que pagara um mico ridículo na reunião de trabalho. De jeito nenhum. Aquela mulher ali no espelho não chorava no banheiro da firma nem acordava com rímel borrado no travesseiro, muito menos jantava Miojo com salsicha. Aquela ali era a Jojo que eu tinha nascido para ser. Uma mulher confiante, bem-sucedida, equilibradíssima. Uma mulher com controle sobre sua própria vida. E se ela estava ali no espelho, então, meu bem, ela era possível.

Eu já tinha lido — sei lá onde, sei lá quando — sobre essa coisa de que as roupas são capazes de fazer a gente se ver de um jeito diferente. Em um estudo pediram para dois grupos fazerem um teste. O primeiro grupo fez tudo usando roupas normais. O segundo grupo fez o mesmo teste usando um jaleco de médico. O resultado foi que o grupo que estava vestido de médico foi capaz de se concentrar mais e acabou mandando melhor no teste. E se um mero jaleco foi capaz de fazer esse povo acertar as questões da prova, imagina o que um look inteirinho novo não seria capaz de fazer pela minha autoconfiança?

Vesti o resto das peças; testei o tal blazer com mais uma saia e também por cima de um vestido e fiquei feliz de ver que ele funcionava bem em todas as versões. Coloquei os sapatos e até catei meus óculos escuros dentro da bolsa na tentativa de efetivamente encarnar essa personagem. E a sensação de que tinha outra versão melhorada de mim aguardando para ganhar vida só se fortaleceu. Decidido: o blazer do poder tinha que ser meu.

Se você ainda não percebeu por conta própria, preciso fazer uma pausa para apontar a armadilha que estava em curso naquele exato momento. Lembra que, agora há pouco, eu estava dissertando sobre como o provador é apenas um entretenimento inocente? Meu momentinho zen? Você acreditou? Bem, sinto muito ter te iludido assim tão descaradamente, mas não era totalmente verdade. Como dizia minha mãe: "Não existe almoço grátis".

De inocente, aquela cabine não tinha nada. É de graça experimentar roupa? É. Mas, tal qual o traficante que oferece a primeira dose sem cobrar nada, o provador dá, de graça, o gostinho de alguma coisa que, muito provavelmente, você vai gostar e querer comprar. E depois voltar para comprar mais.

Eu conhecia bem essa armadilha. E caí tantas vezes nela que já deveria estar imune ao seu poder de sedução. Mas seguia me deixando atrair para dentro da ratoeira, feliz e contente em perder um tiquinho do rabo (ou, no meu caso, fazer um rombo na conta bancária) para satisfazer minha fome (de looks).

Dito e feito. Ao abrir a cortina do provador, entreguei as peças reprovadas de volta para a moça e segui a passos firmes até a fila do caixa. Em uma das mãos, carregava a calça jeans e uma camisetinha básica. Na outra, o vestido e o blazer.

Era hora de olhar as etiquetas, fazer contas preliminares, confirmar o que ia e o que ficava. Comecei pelo blazer do poder, mas, cá entre nós, ele ia ser meu, custasse muito ou pouco. Afinal, quanto vale a sensação de ser a mulher que você nasceu para ser?

Com o blazer resolvido, parti para a análise das demais peças. Precisar, mesmo, eu não precisava de nada daquilo, mas o blazer perfeito me compeliu a levar mais peças novas, dignas de sua majestade, para lhe fazer companhia no armário. Não sou boa de matemática, mas resolvi tentar fazer a soma das quatro peças de cabeça. Ia dar uns quinhentos reais. Eu não tinha esse dinheiro. Mas, até aí, eu nunca tinha dinheiro algum, então que diferença faria?

Cheguei na frente do caixa com um misto de sensações. O êxtase descompromissado do provador aos poucos se dissipou e deu lugar a um desejo autoritário que me fez suar frio. *Compra*, me comandava o desejo. *Eu quero*. Nunca usei drogas pesadas, mas imagino que o anseio do dependente pela próxima dose seja, em alguma medida, parecido com essa sensação que crava as unhas dentro da gente e diz "preciso disso agora!", mesmo sabendo que não devo, mesmo sabendo que vai fazer mal.

Dentro da minha cabeça, um diálogo teve início. O desejo tentava se justificar, apelando para a razão para ver se me convencia de vez a levar tudo.

Você vai usar taaaaanto!, a voz do desejo gritava dentro da minha cabeça com um entusiasmo semidesesperado. *Ficou tudo tão lindo! Já pensou amanhã você chegar no trabalho com esse look? Aposto que até te promovem. Aí, com o salário mais alto, dinheiro não vai ser problema.* Confesso que esse argumento me pareceu delirante demais até para mim. Mas a voz logo percebeu que havia passado do ponto e recuou para um raciocínio mais plausível. *Parcela tudo, menina. Não vai dar nem cem reais por mês!* Ao que a razão respondeu: *Se você levar comida de casa para o trabalho semana sim, semana não pelos próximos cinco meses,* já pagou o investimento. Pronto, me convenci.

A moça do caixa abriu um sorriso meio robótico, como se estivesse programada para sorrir sempre que uma pessoa nova chegasse ao início da fila.

— Quatrocentos e vinte e cinco e noventa e seis, débito ou crédito?

— Parcela?

— Até oito vezes sem juros.

— Crédito, por favor. Pode parcelar.

Quando comecei a minha carreira como consumidora autofinanciada, lá no início dos anos 2000, cheque ainda era uma coisa que se usava, especialmente quando a compra era parcelada. Parcelar no cheque significava ter que preencher à mão a quantidade de cheques equivalente à quantidade de parcelas. Todos com o mesmo valor, porém datados com meses diferentes. Dava um trabalho danado e bastava bobear num dos meses para ter que jogar o cheque fora e começar de novo. Era chato e demorado, mas pelo menos dava tempo de pensar se aquela compra fazia mesmo sentido. Com as maquininhas modernas, tudo ficou instantâneo. Quando a gente dá por si, já gastou o que devia e o que não devia.

— Pode colocar seu cartão e digitar a senha.

Calei todas as vozes dentro de mim e digitei os quatro dígitos da senha sem pensar. Como mágica, uma sacola enorme se materializou nas minhas mãos.

— A nota fiscal tá dentro da sacola. Pra trocar, tem que apresentar. Boa tarde. Próxima!

Enquanto me encaminhava para a saída, olhei para trás a tempo de vê-la abrir o mesmo sorriso robótico para a próxima cliente da fila. Saí da loja me sentindo melhor do que quando entrara, mas pior do que gostaria de estar. Também já estava acostumada: era sempre assim.

Na caminhada de volta para o trabalho, senti a ansiedade voltar a fluir dentro de mim. Era a ficha caindo de que a sacola que carregava na mão não era capaz de deletar tudo o que tinha acontecido. À medida que me aproximava do prédio, aquela mulher caótica, que tinha acordado atrasada e pagado mico na reunião foi novamente tomando conta do meu corpo. Senti um misto de vergonha e culpa ao perceber que continuava a mesma, mas agora quinhentos reais mais pobre. Quinhentos não, quatrocentos e vinte e cinco e noventa e seis.

* * *

A tarde passou devagar. E, nessas horas, sempre me pegava pensando nessa birra que o tempo tem comigo. Quando quero que ele demore, o bendito passa bem rápido. Mas basta querer que ele voe que o relógio parece parar. E, assim, férias de um mês passam na velocidade de um dia, enquanto aquele dia dos infernos parecia estar durando três anos.

Posicionei a sacola enorme da Zara ao lado da tela enorme do meu computador, criando assim um muro alto o suficiente para me esconder do resto da agência. Me perguntei quem foi o gênio que acabou com as baias nos escritórios. Quem foi o ser humano iluminado que teve essa ideia genial (contém ironia) de acabar com qualquer tipo de privacidade no ambiente profissional? Só uma pessoa muito infeliz para achar que faz todo o sentido fazer a gente trabalhar olhando um para a cara do outro, bisbilhotando o computador alheio. Certeza que deve ter sido um chefe desses bem pentelhos que não tem um amigo com quem beber no *happy hour*. O que eu não daria por uma tarde inteira usufruindo do isolamento confortável daquelas três paredes de fibra de vidro?

Não havia muita coisa a fazer. Eu entregara meu último projeto na semana anterior e ainda não tinha começado nada novo. Restava remoer os acontecimentos do dia enquanto fingia estar ocupadíssima e muito concentrada atrás do meu muro improvisado.

Eu já tinha decidido que seria a última a ir embora da agência, mesmo sem nada para fazer, só para tentar começar a limpar um pouco a minha reputação. Em geral, essa decisão significaria ficar no escritório até de manhã, afinal, sempre tinha algum pobre coitado virando a noite fazendo alguma coisa que *precisava* ficar pronta para o dia seguinte. O que me levou a uma reflexão que sempre me ocorria quando eu ficava até tarde na agência: será que as pessoas entendiam que a gente estava trabalhando para entregar uma propaganda? Para vender uma coisa de que muito provavelmente o público nem precisava? Será que fazer propaganda de qualquer coisa era tão urgente assim que não podia ser terminado durante o horário comercial em vez de às quatro da manhã?

Por um milagre divino, às oito da noite o escritório já estava vazio. Me certifiquei de que todo mundo já tinha ido embora, inclusive e especialmente meu chefe. Por sorte, ele havia passado a tarde inteira em outras reuniões. Melhor assim. Tentei me convencer de que no dia seguinte ele já teria esquecido o fiasco da reunião.

Desliguei o computador e calcei novamente os sapatos antes de me levantar da cadeira. Sempre gostei de ficar descalça enquanto trabalhava na minha mesa; gostava de puxar as pernas para cima da cadeira e cruzá-las uma por cima da outra ou deixar uma no chão enquanto a outra fica para cima. Já tentei mudar, mas é mais forte do que eu. Passei a infância ouvindo que não sei sentar como mocinha. Continuo me sentando como naquela época. Mas ninguém mais me chama a atenção, pelo menos não na minha frente.

Senti os pés doerem ao serem espremidos outra vez para dentro do escarpim da mulher poderosa que, naquele dia, não me trouxe poder nenhum. Me peguei pensando no blazer do poder que ainda nem fora tirado da sacola e me perguntei como era possível ser trouxa a ponto de cair na mesma armadilha tantas vezes. Pelo menos o blazer não ia me dar bolhas.

Estava tarde e já não tinha ninguém que pudesse me dar uma carona para casa. Pensei em pegar o ônibus, mas o combo salto, cansaço e horário me fez sucumbir e chamar um táxi.

Quinze minutos depois e quinze reais mais pobre, eu estava na porta do meu prédio. Olhei para a janela do 11º andar e vi a luz acesa. Tirei as roupas da sacola de papel e transferi para a bolsa amarela. Ainda bem que a bolsa era grande e comportou facilmente as quatro peças novas. Joguei a sacola fora na lixeira da rua e entrei no prédio.

Esconder minhas compras antes de chegar em casa já tinha virado um hábito. Até o porteiro do meu prédio já havia sido coagido a participar do esquema quando a bolsa era pequena demais para ocultar meus contrabandos. Como bom comparsa, o Severino sempre guardava tudo numa boa sem fazer muito questionamento. Nunca contei a ele a razão pela qual eu pedia para ele esconder as compras, mas tenho certeza de que ele suspeitava. Às vezes as sacolas ficavam lá por horas, dias até, enquanto eu aguardava a oportunidade perfeita de levá-las para dentro de casa sem ser percebida. Nesse meio-tempo, o Severino tinha muitas chances de denunciar o meu esquema. Aliás, quando comecei com a história de esconder compras, sempre visualizava a seguinte cena:

Felipe, saindo para trabalhar de manhã, dá de cara com Severino, que diz:

— Bom dia, Felipe! A Joanna deixou umas sacolas ontem à noite aqui na portaria, você quer levar pra ela? Ou alguém vai vir aqui buscar?

A cena nunca chegou a se concretizar. Já fazia dois anos que morávamos naquele prédio, e Severino sempre mantivera o seu pacto de silêncio.

Bem, provavelmente agora é uma boa hora para eu apresentar o Felipe, com quem eu dividia o apartamento e a vida.

Felipe era um cara legal, inteligente, mas à primeira vista não muito simpático. Ele gostava de fazer o tipo mais sério, meio mal-humorado. Quando a gente se conheceu, muito antes de começarmos a namorar, um não foi com a cara do outro. Eu era expansiva demais para ele, ele era antipático demais para mim. Mas a gente tinha amigos em comum, e aos poucos fui vendo o lado mais doce daquele homem alto, de barba cheia e cara amarrada.

Eu já estava morando no Rio e havia acabado de terminar um noivado quando a gente ficou pela primeira vez, num desses fins de festa, na sala da casa de uma amiga em comum. Já era quase de manhã, todo mundo já tinha ido embora. Sobramos nós dois, bêbados, exaustos, sozinhos. Foi bom, mas ninguém ali queria compromisso. Ele tinha os traumas dele e eu, uma vontade doida de me rebelar e viver uma história completamente diferente do relacionamento certinho do qual havia me livrado poucos meses antes.

A gente não esperava que ia se dar bem nem começar a se gostar. Mas o que era para ser só uma noite já durava três anos. Tinha quase certeza de que ele me amava e de que eu o amava também, mas a nossa relação estava longe de ser o que eu chamaria de convencional.

Foi a mudança para São Paulo que desencadeou o processo de morarmos juntos. Individualmente a gente não tinha muita grana, mas, juntando os dois salários, dava para alugar um apê mais legal. Nenhum dos dois tinha carro, então passamos semanas rodando a pé pelas ruas de São Paulo, parando em cada portaria e perguntando se havia algum apartamento disponível para alugar. Vimos um monte de porcaria e alguns ótimos que estavam fora do nosso orçamento, até que encontramos aquele, de três quartos, bem grande, perto de onde todos os nossos amigos cariocas expatriados moravam. Ele era cheio de potencial, só precisava de um trato. Nada que uma envernizada no piso de parquê paulista e uma tinta nas paredes amareladas não resolvesse. Fechamos negócio.

Como morávamos em casas diferentes no Rio, quando chegou a hora de fazer a mudança para São Paulo a gente tinha duas geladeiras, dois fogões, duas máquinas de lavar... A ideia inicial era vender um de cada item e ficar com o outro, mas nenhum dos dois queria abrir mão dos seus pertences. Portanto, havia dois anos que morávamos numa casa com tudo em dobro: duas geladeiras, dois fogões, duas máquinas de lavar... Os amigos que iam nos visitar achavam inusitado, engraçado, até. O Felipe gostava de cozinhar e tirava onda que tinha um fogão de oito bocas (quatro minhas e quatro dele). A gente brincava que era tudo uma estratégia muito sensata para, quando a gente se separasse, não ter disputa de bens. Todos riam, como se fosse uma piada, mas no fundo eu sentia que era meio isso mesmo, que a nossa história tinha hora para acabar.

Subi o elevador verificando se a mancha de base da bolsa não estava sujando minhas roupas novas. Entrei em casa e encontrei a luz acesa e a sala vazia. Olhei meu celular e vi duas chamadas não atendidas e uma mensagem de texto:

"Te liguei. Tô indo tomar uma com o Paulo. Mais tarde tô em casa. Te amo."

Suspirei aliviada e tirei as compras da bolsa.

Veja, não era que o Felipe fosse brigar comigo. Como bem ilustrado pelos eletrodomésticos duplicados convivendo numa mesma cozinha, a gente era bem independente, inclusive no que dizia respeito a dinheiro. E, contanto que cada um desse o seu jeito de pagar as contas todo mês, um não se metia na vida financeira do outro.

A verdade era que, a essa altura do campeonato, aquele êxtase que tinha tomado conta de mim dentro do provador já tinha ido embora e o que me restava era uma culpa avassaladora que eu não tinha coragem de dividir com ninguém. Era ela que eu escondia dentro da bolsa. Era ela que eu não queria mostrar.

4

Não foi possível completar a ligação

Enfiei as roupas novas dentro do armário evitando olhá-las diretamente, com medo de me dar conta de que nenhuma era tão especial assim. Um vestido de que eu não precisava, uma blusa básica como tantas outras, mais uma calça jeans, um blazer do poder sem poder nenhum.

Tirei o macacão e, em silêncio, agradeci pela nossa relação sincera, sem falsas promessas. O coitado podia até ser sem graça, mas nunca me iludiu, foi verdadeiro comigo desde o início. E, anos depois, seguia fiel a si mesmo e a mim: nem lindo, nem feio, muito menos com superpoderes, apenas uma roupa. E, há de se reconhecer, uma roupa que já me quebrou muitos galhos. Fiz uma nota mental para começar a tratá-lo melhor.

Entrei no banheiro e abri a torneira quente no máximo, deixando o vapor tomar conta, embaçando os vidros do boxe e do espelho. Melhor assim: eu preferia não me ver naquele momento. Com a cabeça caída para a frente, fechei os olhos e deixei a água bater nas costas, sentindo um misto de prazer e dor.

Saí do banho e vesti a camiseta velha que fazia as vezes de pijama. Tirei a maquiagem (para variar) e escovei os dentes devagar, ainda anestesiada pelo calor do banho. Não tinha fome. Deitei na cama e abri o celular.

"Tô na cama. Indo dormir. Vem com cuidado e não me acorda quando chegar."

Enviar.

"Sua mensagem não pôde ser enviada."

Ué.

Enviar (novamente).

"Sua mensagem não pôde ser enviada."

Busquei o número do Felipe nas últimas ligações e cliquei para ligar, mas em vez do barulho da chamada ouvi uma voz feminina robótica:

— Não foi possível completar a ligação.

Desliguei e senti o telefone vibrar com a chegada de uma mensagem de texto.

"Não detectamos o pagamento da sua conta referente ao mês de fevereiro. Para reativar o seu número, efetue o pagamento."

Eita. Estranho. Minhas contas estavam todas no débito automático. Levantei meio desajeitada da cama e fui até a sala, onde o laptop jazia em cima do sofá. Abri o navegador e acessei o site do banco. Digitei o número da minha agência, da conta e a senha de seis dígitos. A página abriu na hora e precisei esfregar os olhos para ter certeza de que não tinha dormido e ficado presa num pesadelo. Na tela, em vermelho cor de carne, a prova cabal de que aquele dia não tinha como ficar pior.

A operadora não conseguira receber o meu pagamento simplesmente porque eu tinha estourado o limite do cheque especial.

* * *

Preciso ressaltar que estar com a conta no vermelho definitivamente não era nenhuma novidade para mim. Mas não havia sido sempre assim.

Lembro o fatídico dia em que descobri a existência do cheque especial. Eu tinha 21 anos, trabalhava como assistente numa agência de publicidade no Rio de Janeiro e ganhava um salário modesto, de quem estava começando. Naquela época eu era mais controlada, e o pouco dinheiro rendia o mês todo. Por incrível que pareça, eu tinha menos dívidas quando ganhava menos.

Eu trabalhava muito e comprava pouco. Me virava com as roupas que tinha e com as que surrupiava do armário da Andrea, que dividia apartamento comigo. Pagava minha metade do aluguel, minha parte das contas e as besteiras que eu gostava de comer. Os sábados eram praticamente todos na praia e custavam muito pouco, apenas o preço de um biscoito de polvilho e uma água de coco. O que sobrava do salário virava cerveja com os amigos depois do expediente. Eu era feliz e sabia.

Eu nunca deixava prazo de conta nenhuma vencer. Ter a luz ou o gás cortados ou, pior ainda, ver meu nome ir parar no Serviço de Proteção ao Crédito (o famoso SPC) estavam no meu Top 5 maiores medos da vida adulta, junto com pegar herpes e perder o emprego (mal sabia eu que, nos anos seguintes, iria vivenciar todos eles). Eis que um belo dia, enquanto arrumava a gaveta de tralhas da cozinha, dei de cara com o envelope fechado da companhia de gás. Dentro do envelope estava o boleto referente ao mês anterior, no valor de dezesseis reais. Pânico: todas as outras contas já tinham sido pagas e aquela, por algum motivo, havia sido esquecida debaixo de uma pilha de outros papéis.

Na época, ninguém usava essas coisas de *internet banking*. Quando a gente tinha que pagar uma conta, ia ao banco com o boleto e pagava. Cheguei no caixa eletrônico e, no desespero de quitar a minha dívida o mais rápido possível, escaneei o código de barras do boleto e confirmei o pagamento sem nem ver quanto tinha na minha conta.

Terminada a transação, fui checar meu saldo e quase caí para trás.

Saldo em conta corrente: -R$ 12,50.

Como assim, "menos"? Quer dizer que, quando a conta bancária chega a zero e você continua gastando, ela não bloqueia tudo e deixa você pagar mico no caixa? Como assim, o banco me permite gastar mais do que eu tenho?

Logo abaixo do meu saldo negativo, li:

"Cheque especial

Limite total disponível: R$ 2.000,00".

É lógico que eu já tinha ouvido falar em cheque especial. Mas, na minha cabeça, tratava-se de um tipo de cheque mais chique, só para clientes VIP.

Pode me julgar, mas ninguém nunca me ensinou essas coisas. Na escola, a gente aprendia matemática como se vivêssemos ainda num tempo em que relações comerciais funcionavam à base do escambo: "José tinha cinco maçãs, deu duas maçãs para Maria, quantas maçãs José ainda tem?". Ou ainda como se o sistema bancário consistisse em estocar dinheiro em esconderijos pela casa: "José tinha R$ 100,00 embaixo do colchão. Ganhou mais R$ 25,00. Quanto falta para José chegar a R$ 200,00?".

O mais próximo que cheguei de aprender sobre o sistema financeiro foi quando nos ensinaram a preencher cheque. Sem brincadeira. Caiu até na prova. Pelo jeito, saber preencher cheque era primordial para a formação de uma pequena cidadã (ou cidadão) dos anos 90. A gente tinha que saber exatamente onde colocar o valor numérico e onde escrever o valor por extenso (sem soletrar nada errado). Tinha também que preencher a data, a cidade e assinar. Ou seja: me ensinaram a gastar, mas a investir, que é bom, nada.

Nunca tive uma aula sequer na escola que falasse das coisas que eu ia efetivamente precisar saber. Aproveito aqui para elencar algumas possíveis aulas que eu gostaria de ter tido e nunca tive:

"As armadilhas do crédito fácil tipo cheque especial, que escondem juros absurdos e podem te levar à falência."

"Como utilizar o cartão de crédito de maneira saudável em vez de acumular parcelas pequenas que no fim viram um monstro impossível de domar."

"Como investir o seu dinheiro para se aposentar o mais rápido possível e curtir a velhice adoidado."

Mas não me ensinaram nenhuma dessas coisas. Em vez disso, aprendi a enfiar moedas num porquinho de porcelana e assinar cheques de mentira. Aliás, vamos falar sobre o tal porquinho de porcelana? Qual a lógica de colocar dinheiro dentro de uma coisa que você vai ter que destruir para conseguir o dinheiro de volta? Em teoria, isso deveria fazer com que você pensasse duas vezes antes de quebrá-lo para sair gastando. Mas ninguém imaginou que outro efeito possível é você pensar duas vezes antes de colocar o dinheiro num compartimento de onde ele jamais poderá sair? E, quando você enfim quebra o porco, tem que gastar parte do dinheiro com o quê? Outro porco, para substituir aquele que quebrou. Desculpa, mas não faz o menor sentido.

Isso sem contar as equações que decorei para passar no vestibular e depois nunca mais usei na vida. E ensinar a usar bem o dinheiro? A fazer o dinheiro trabalhar para mim? A verdade é que o mundo sempre esteve muito mais empenhado em produzir consumidores vorazes do que investidores sagazes. E eu, infelizmente, sou parte dessa grande maioria que caiu bem no primeiro grupo.

Descobrir o cheque especial foi o início do fim. Não que eu tenha saído gastando aqueles dois mil reais logo de cara. Pelo contrário: naquela última semana do mês, controlei meus gastos na unha. Comi no restaurante a quilo baratinho todos os dias para fazer o vale-refeição render até o dia 31 e não comprei nem um alfinete de que eu não precisasse. E, assim que o salário entrou, fiquei aliviada em ver o azul de volta na conta.

Mas o tempo foi passando, e eu fui ficando relapsa. No mês seguinte, cheguei ao dia 30 com R$ 25,00 negativos na conta. Depois foram menos R$ 30,00. Aí, menos R$ 50,00. E, à medida que eu percebia que podia gastar mais e nada de apocalíptico acontecia, fui perdendo o medo do vermelho. Até que, seis anos depois, lá estava eu, com um rombo equivalente ao salário de um mês inteiro no cheque especial.

E era assim todo mês. O salário entrava e ia inteirinho cobrir a dívida. Se o mês começasse com R$ 100,00 na conta, eu me dava por vitoriosa. Aí batiam o aluguel, as contas, o cartão de crédito, e no dia 2 eu estava no vermelho de novo. Tem gente que administra seus investimentos, eu administrava a minha dívida — mal e porcamente, diga-se de passagem. A minha ignorância financeira e a total inaptidão matemática não ajudavam. Mas ainda mais grave era a minha decisão diária de ignorar o problema, como se ele não existisse, como se fosse se resolver sozinho.

Prova da minha apatia era que boa parte desse buraco no qual eu me encontrava havia sido cavado não apenas por meus gastos em excesso, mas também por juros nada camaradas. Mesmo assim, jamais procurei saber se tinha alguma outra opção de crédito com juros mais baixos que pudesse me ajudar a conter o sangramento na minha conta e, no fim, pagar a dívida. Afinal, para tomar uma atitude é preciso reconhecer a existência do problema, e eu não estava a fim de reconhecer nada.

Eu vivia uma espécie de negacionismo financeiro. Odiava entrar na minha conta para ver o saldo, tinha pavor de olhar a fatura do cartão de crédito e evitava a todo custo ter qualquer contato com o gerente do banco. Era tipo aqueles doentes que não vão ao médico porque não querem ouvir notícia ruim, como se a doença só passasse a existir depois do diagnóstico. Lá no fundo eu tinha plena consciência de que estava na merda, afundada em dívidas, não tinha dinheiro para ir nem ali na esquina. Não precisava ficar checando meu saldo a cada dois minutos para saber disso. Então eu tentava não focar nesse assunto. Tanta coisa melhor para falar, né?

Veja, é que falar de dinheiro está longe de ser a coisa mais agradável do mundo, em especial se você não tem nenhum. Justamente por isso, resolvi manter o meu infortúnio financeiro em segredo. Nem meus amigos, nem minha família, nem meus colegas de trabalho, nem mesmo o Felipe sabiam do rombo na minha conta bancária.

Essa vida dupla obviamente não me ajudava em nada. Como ninguém do meu círculo social sabia do meu *alter ego* falido, amigos, colegas, familiares e namorado seguiam me chamando para jantares, shows, viagens, exposições e toda sorte de eventos que custavam dinheiro. Dizer não uma vez, vá lá. Mas dizer não sempre geraria suspeitas e acabaria desencadeando um papo que eu não estava preparada para ter. Então eu seguia dizendo sim, indo para a maior parte dos eventos que apareciam na agenda, sorrindo, tentando não pensar no amanhã, fingindo que estava tudo bem, enquanto em segredo cavava mais alguns centímetros no buraco em que me encontrava.

Tinha acontecido no dia anterior. As meninas haviam combinado um jantarzinho num restaurante que a gente gostava. Não era caro, mas era mais caro do que uma noite de Miojo e Coca-Cola em casa. Mesmo assim eu fui. Estava com saudade de jogar conversa fora só a gente, sem os respectivos namorados. Cheguei lá e elas já tinham pedido uma garrafa de vinho, mas me esperado para pedir a comida.

Escolhi o prato mais barato, uma salada de tamanho bem sem-vergonha, porém gostosa. A garrafa de vinho esvaziou rápido, e elas pediram outra. E depois outra. Sobremesa? Claro, duas para a gente dividir entre nós seis (amém).

Quando nos demos conta, éramos a última mesa do restaurante.

— Mas ainda tá cedo! O papo tá bom! Bora pedir a conta e ir pra aquele barzinho novo que abriu ali na esquina?

— Ai, gente, acho que eu vou pra casa. Tô morta — respondi, tentando justificar a minha intenção de sair de cena.

— Nada disso! Bora com a gente — disse o Dani, meu melhor amigo e membro honorário do grupo das meninas enquanto me puxava pelo braço e me guiava para longe do ponto de táxi.

O bar era escuro, com luzes de neon e papéis de parede que pareciam bonitos e interessantes à meia-luz, mas aposto que deviam ser esquisitos na claridade do dia. No menu de drinques, o mais barato custava doze reais. Pedi um com dor no coração. Doze reais que iam sair no xixi. Quando o garçom trouxe a primeira rodada de pedidos, resolvi que a primeira seria também a minha última e passei a hora seguinte tomando pequenos goles e mexendo o canudo de um lado para o outro do copo alto de vidro. Já passava de uma da manhã quando sentei no vaso do banheiro de casa e senti aquele xixi caro sair de mim e ser diluído na água. Fui dormir às duas e meia, meio bêbada, meio feliz, meio culpada. O resto da história, você já sabe: acordei atrasada, paguei mico na reunião, fui chorar minhas mágoas na Zara e fazer um estrago no cartão de crédito.

Agora lá estava eu, olhando para os quatro dígitos vermelhos na tela do computador, sem outra escolha a não ser encarar minha situação de frente. Não dava mais para seguir assim. Eu estava cansada de viver naquela montanha-russa de gastar o que não tinha e me martirizar por isso, só para depois ir lá e fazer a mesma coisa outra vez. Também estava cansada de atuar, de viver uma vida dupla, de não poder me abrir com as pessoas que mais amava. Estava cansada de me sentir sozinha, culpada, desequilibrada. E estava muito cansada de não ter perspectiva, de ver meus amigos viajando, indo conhecer o mundo, comprando casa, bancando pós-graduação... E eu ali, com a conta bancária vazia e um patrimônio de pedaços de pano abarrotando o meu armário.

— Pra mim, chega — decidi ali mesmo.

5

Pai, preciso te contar uma coisa

Acordei antes do despertador tocar, com a cortina semiaberta e a luz fraca da manhã invadindo o quarto. Eu amo esse momento em que a gente acaba de abrir os olhos mas o cérebro ainda não acordou. Uma espécie de limbo entre o sono e a consciência plena, quando tudo o que se sente é físico, é corpóreo. Por instinto, me espreguicei e senti pele, músculos, órgãos e ossos se esticarem, numa tentativa de expurgar o cansaço que ainda restava dentro de mim. Somente alguns segundos depois foi que a cabeça pegou no tranco e me lembrei da vida toda que fora pausada quando eu fechara os olhos na noite anterior.

Alcancei o celular. O relógio na tela mostrava a hora: seis e quinze. Ao meu lado só o laptop, deitado por cima do lençol bagunçado. Levantei da cama e percebi a porta do outro quarto fechada. Felipe devia ter chegado tarde e ido dormir no outro quarto na tentativa de não me acordar.

O ronco na minha barriga me lembrou de que eu havia ido dormir sem jantar. Fui até a cozinha e abri a geladeira. Ainda tinha ovo. No balcão, o pacote de pão de forma estava pela metade. Peguei duas fatias e, enquanto a torradeira esquentava o pão, taquei o ovo numa frigideira com manteiga e mexi rapidinho para não ficar passado. Coloquei as fatias sobre o prato de sobremesa e o ovo mexido por cima. Um pouquinho de sal e pimenta. Catei um restinho de suco na geladeira e comi ali mesmo, em pé, no balcão da cozinha.

Com a fome momentaneamente resolvida, voltei para o quarto. Ainda era cedo para me arrumar para o trabalho. Com tempo para matar, meu olhar foi atraído pela pilha de roupas em cima da poltrona que morava logo ao lado da cama. Se você estivesse ali, olhando aquele mesmo cantinho do quarto, é provável que não soubesse que ali vivia uma poltrona, tamanha era a bagunça que fixara moradia em cima dela.

Fui tomada por um ímpeto que raramente me acomete: o de organizar tudo. Em meio à bagunça que a minha vida havia se tornado, pelo menos uma coisa eu era capaz de arrumar. Estiquei o lençol por cima do colchão, fui até a poltrona, levantei o bololô de roupas e joguei tudo num lado da cama. Uma a uma, fui dobrando tudo com cuidado, separando as partes de cima e de baixo, e empilhando no lado da cama que permanecia livre.

Abri o armário para guardar as pilhas já organizadas e cheguei à conclusão de que aquelas roupas estavam habitando a poltrona por um motivo: a densidade demográfica do armário parecia ter chegado ao seu ápice e não permitia nem mais um morador sequer.

O ímpeto de organização seguiu borbulhando dentro de mim, e foi ele que me fez esvaziar prateleiras, gavetas e cabides. Outra vez transferi tudo para a cama, o que por si só já foi uma ginástica, tal a quantidade de roupa que residia dentro daquelas quatro portas. A cama ficou logo completamente coberta por uma montanha de calças, blusas e vestidos. Era tanto pano misturado que o colchão tamanho king não deu conta e fui obrigada a usar o chão para conseguir enxergar cada peça.

Dessa vez, separei as pilhas por função — partes de cima de um lado, partes de baixo do outro — e depois por cor, formando um arco-íris em cima do lençol branco e do chão de taco caramelo. Era bonito o efeito das peças juntas assim, uma por cima da outra. Dava para ver as texturas diferentes, as nuances dos tons mais escuros e mais claros, o jeito como cada tecido brilhava com a luz da manhã que entrava pela janela.

Sentada no meio da cama com as pilhas de roupa ao meu redor, uma pergunta martelava na minha cabeça: como era possível ter tanta roupa e, ao mesmo tempo, não ter o que vestir? Quantas vezes só naquela semana eu já não tinha aberto aquele mesmo armário e olhado lá para dentro longamente, buscando um look que fizesse meus olhos brilharem, sem achar nada? Quantas vezes, uma hora antes de sair para uma festa, não experimentei oito vestidos e chorei me olhando no espelho porque nada me fazia me sentir bonita o suficiente, elegante o suficiente, *cool* o suficiente? Isso acontecia dia sim, dia também. Era o tal paradoxo da escolha: quanto mais roupa eu tinha, mais difícil era me vestir e menos satisfeita eu ficava com o look escolhido.

Lá pelo meio da arrumação, comecei a encontrar umas coisas que nem lembrava que existiam. Peças que tinha comprado e usado uma única vez, outras ainda com a etiqueta que carregavam no dia em que saíram da loja, algumas que achei que tivesse perdido, outras que pensei que tivesse doado. Um monte de tesouros que estavam escondidos lá no fundo do armário, só esperando a chance de ver a luz do dia de novo (ou pela primeira vez).

No meio dessas dezenas de roupas velhas para meu armário e relativamente novas para mim, me dei conta do potencial inexplorado daquilo tudo, do tanto de roupa que estava presa lá dentro e que eu simplesmente não usava. Coisas lindas que tinham caído no esquecimento, que haviam perdido parte do brilho assim que uma aquisição mais nova apareceu.

Enquanto pendurava um vestido que nunca tinha sido usado, suspirei fundo.

— Meu Deus do céu, é tanta roupa que eu acho que dá pra ficar um ano sem comprar nada — ouvi a voz ecoar nas paredes do quarto, como se outra pessoa as tivesse dito para mim.

— É tanta roupa que eu acho que dá pra ficar um ano sem comprar nada — repeti. E, ouvindo novamente o eco entoar as últimas palavras da frase, fiz o mesmo: — Dá para ficar um ano sem comprar nada.

Sabe aquele momento de iluminação divina que a gente vê nos desenhos animados? Aquele em que uma lâmpada acende bem em cima da cabeça do Pica-Pau? A luz do quarto até pareceu clarear, tão intenso era o brilho da lâmpada que havia surgido em cima da minha cabeça. Era isso que eu precisava fazer. Era esse o meu recomeço.

A ideia veio pronta, inteirinha, redonda, como se o meu cérebro tivesse feito o download de um arquivo completo: um ano sem comprar. Um ano para usar todo esse tsunami de roupas que agora cobriam cada centímetro de superfície daquele quarto. Um ano para pagar minhas dívidas, sair do vermelho, começar a construir os sonhos que estavam parados esperando os boletos serem pagos. Um ano para mudar o meu jeito de comprar.

E assim, às 7h35 da manhã do dia 3 de março de 2011, uma quinta-feira chuvosa, eu lancei o meu desafio: *eu, Joanna Moura, me desafio a ficar um ano inteiro sem comprar nenhuma roupa, nenhum acessório, nem uma calcinha sequer.*

Aqui preciso fazer uma pausa para, novamente, confessar uma faceta da minha personalidade que você talvez não saiba. Essa não era a primeira ideia mirabolante que brotava na minha cabeça. Sou uma ariana raiz, megalomaníaca e impulsiva, dessas que prometem primeiro e depois veem se dá para cumprir. Portanto não é de espantar que 99% das juras que eu fazia para mim mesma fossem quebradas em até 48 horas. Foi assim com a ideia de parar de comer açúcar por um mês. Foi assim com o plano de malhar duas vezes por semana por um ano. Foi assim também com a decisão de ficar solteira por pelo menos seis meses entre um namoro e outro.

Mas, como mencionei, daquela vez a ideia veio pronta, e por "pronta" quero mesmo dizer à prova de bala (ou de desistência). O maior empecilho para essa saga ser bem-sucedida era eu mesma, então ela não podia depender só de mim. Eu precisaria de ajuda, de gente do meu lado me cobrando, me estimulando, me empurrando na direção certa. E, para isso acontecer, eu precisava, primeiro, superar o medo e a vergonha de admitir que eu tinha um problema e contar para o mundo que estava quebrada.

O plano era simples e perfeito em sua simplicidade: para garantir que cumpriria a promessa, me comprometi a narrar a minha jornada num blog que seria compartilhado com amigos e família. Assim, ficava estabelecido um mecanismo de monitoramento e cobrança da minha fidelidade ao propósito maior de sair do vermelho.

A empolgação com a ideia foi tanta que abandonei a arrumação pela metade, deixei as roupas largadas pelo chão e abri o computador. Cliquei no navegador e digitei, sem olhar para o teclado: "Como criar um blog".

Eu estava longe de ser uma pessoa letrada nesse mundo online. O mais próximo que tinha chegado de fazer alguma coisa para a internet foi quando uma amiga e eu criamos um Fotolog para ser uma espécie de diário do nosso cotidiano no apartamento que dividíamos. Adivinha? Assim como as outras promessas, o Fotolog nunca foi atualizado, e a ideia morreu antes que completasse 24 horas de vida.

Para minha sorte, a internet estava cheia de explicação para gente como eu, que sabe o que quer mas não sabe como conseguir. Em apenas dois cliques, aterrissei no Blogspot, um desses sites que prometiam liberdade total para você deixar o seu blog com a sua cara, porém, como o negócio era de graça, duvidei que a liberdade fosse tanta assim. De qualquer jeito, eu nem sabia a cara que queria que ele tivesse, muito menos tinha aptidão para fazer esse conceito abstrato se materializar numa página virtual.

Optei pelo design mais simples. Fundo branco, posts com fotos e texto. Fonte: Times New Roman. Fotos com borda branca.

Ao final do processo, uma janela apareceu na tela: "Crie o seu domínio". E aí? Que nome dar para o projeto que poderia mudar a minha vida?

Olhei para as roupas da Zara que tinham me acompanhado até em casa no dia anterior e a lâmpada novamente se acendeu, clareando as ideias que borbulhavam dentro da minha cabeça: *Um ano sem Zara*.

"Mas por que Zara?", você pode estar se perguntando agora. "Por que não *Um ano sem compras*?". Bem, para começar, lembremos que eu sou publicitária, e *Um ano sem compras* me pareceu um pouco óbvio demais. *Um ano sem Zara* era bem mais sonoro.

Porém, tão importante quanto a sonoridade, ou mais, era o significado. A Zara representava mais do que uma loja para onde boa parte do meu dinheiro ia. Era o símbolo maior de um jeito de consumir que eu precisava desesperadamente exorcizar: o comprar por impulso, o consumo encarado como passatempo, como momento zen, como entretenimento. Sim, a ideia era ficar um ano todinho sem comprar nem uma roupa, nem uma bolsa, nem uma mísera calcinha em loja nenhuma, mas, já naquele momento, eu suspeitava que não seriam as roupas novas que me fariam falta. Era a abstinência dessa experiência, desse jeito Zara de comprar, que ia me fazer ter tremedeiras e suar frio. E foi para lembrar disso todos os dias do ano que me convenci definitivamente: *Um ano sem Zara*. Digitei e cliquei ENTER.

Hora de escrever o primeiro post. A tela em branco me fez hesitar. Para quem que eu estava escrevendo? Quem ia se interessar pela história de uma mulher de 26 anos que gastou todo o dinheiro que ganhou na vida com pedaços de pano coloridos? Eu não tinha escrito nem a primeira palavra, mas já era capaz de ouvir os comentários sussurrados pelas minhas costas em tom de ironia e certo desprezo:

"Ô, coitadinha, tendo que viver com um armário abarrotado de roupas."

"O drama da pobre menina rica."

"Affe, que supérfluo."

"O mundo cheio de gente passando fome e essa garota reclamando de falta de dinheiro."

Ou ainda aqueles olhares de pena que disfarçam julgamentos nada construtivos:

"Coitada, completamente desequilibrada."

"Essa aí não vai dar jeito nunca."

Sim, eu sabia que o mundo tinha problemas maiores do que os meus. Sim, eu sabia que já podia ter tomado jeito muito tempo antes. Sim, eu sabia que a minha situação beirava o cômico. Mas eu não podia fingir ser uma coisa que não era. Não estava ali dizendo que ia salvar o mundo. Estava só tentando salvar a minha conta bancária. Deixa os governos e os bilionários ocuparem-se dos problemas maiores, que, pelo próximo ano, eu estaria ocupada pagando as contas todo fim de mês.

Pensei em só pular essa parte da promessa e fazer tudo em silêncio, sem testemunhas, sem cobranças. E aí, se desse errado, ninguém ficaria sabendo e eu evitaria esse constrangimento público. Mas logo me dei conta de que era exatamente esse tipo de raciocínio que tinha levado tantos dos meus planos anteriores a fracassar. O sucesso do ano sem compras dependia justamente do *Um ano sem Zara* e da minha capacidade de encarar tudo o que viria a reboque — fosse o incentivo, fossem as críticas não tão construtivas assim. Por via das dúvidas, fechei a tela e resolvi, antes de contar para o mundo, contar para quem mais importava.

* * *

Eu nunca dei trabalho para os meus pais. Fui uma adolescente de boas, nunca repeti de ano na escola, não bebia, não fumava e, na maior parte das vezes, respeitava o horário de chegar em casa (esperneando, mas respeitava). O máximo de rebeldia que admito ter cometido na adolescência foi fingir que estava indo para a casa das amigas estudar quando na verdade passava as tardes namorando na casa do *boy* da época. Mas até ele era bonzinho, e entre um amasso e outro a gente realmente estudava.

Quando chegou a hora, passei no vestibular, fui morar no Rio, estudei, fiz uns estágios e, antes mesmo de me formar, fui contratada com carteira assinada. Na real, preciso admitir que não teve tanto mérito meu nisso tudo, não. Eu estava nos lugares certos nas horas certas, e as coisas foram acontecendo. Não sou dessas pessoas que têm uma necessidade louca de sair por aí batendo no peito em busca de reconhecimento. Mesmo assim, toda vez que eu tinha uma notícia boa ligava para casa para contar. Mais por meus pais do que por mim, porque eu sabia que eles ficavam felizes. E a gente celebrava junto, unidos pela linha telefônica.

— Fui contratada!

— Meu chefe me elogiou!

— O cliente aprovou a minha campanha!

— Que orgulho! — eles diziam.

Na época não tinha essas coisas de Skype nem ligação com vídeo, mas eu conseguia fechar os olhos e ver seus rostinhos felizes, aliviados, ostentando aqueles sorrisos de dever cumprido.

Lembro, como se fosse hoje, do dia em que liguei para contar que tinha conseguido um emprego que pagava um pouco melhor e que não ia mais precisar da ajuda financeira deles. Era uma agência famosa por maltratar os funcionários e, por isso mesmo, pagava salários melhores, como um "cala-boca" para o pessoal sofrer sem reclamar. Eu sabia da fama, mas aceitei mesmo assim. Era bom para o currículo e o bolso. Sem contar que eu estava começando a carreira e não podia escolher muito.

— Que orgulho! — exclamaram, entusiasmados com o meu progresso e, imagino eu, com a perspectiva de economizar a grana que enviavam para mim todos os meses.

— A gente sempre soube que você ia brilhar, filha! — Lógico que deixei de fora a informação sobre o suposto ambiente tóxico do meu novo emprego. Não vi motivo para estragar a alegria deles.

A partir dali eu nunca mais falei de dinheiro com os meus pais. Quando começou a dar ruim na minha conta bancária, fiquei quieta e guardei os meus problemas incipientes para mim. Eu tinha declarado independência financeira ou morte, e assim seria. Fora que eu tinha certeza de que, em um ou dois meses, ia dar um jeito de reverter essa história, a conta ia voltar para o azul e eu os pouparia dessa preocupação.

Foi essa a história que contei a mim mesma, que o segredo era por eles. E aqui me sinto compelida a confidenciar o que pode parecer óbvio: não era por eles, era totalmente por mim. Eu não queria manchar a minha reputação até então imaculada. Não queria encarar os olhares de decepção. Não queria admitir que eu não era a filha perfeita.

Mas eu não tinha conseguido resolver nada sozinha. Não tinha dado jeitinho nenhum e acabara só me afundando ainda mais no buraco em que tinha me metido. Então estava na hora de admitir que eu não dava conta. Estava na hora de deixar o "eu" de lado e apelar para o "nós".

O relógio marcava oito em ponto quando peguei o telefone, disquei o número e ouvi a voz do meu pai:

— Oi filha, tá tudo bem?

A ligação seguiu um rumo bem diferente do que eu imaginava.

— Pai, preciso te contar uma coisa. Mas eu preciso que você me ouça até o fim, porque eu tenho um plano.

Ele me ouviu em silêncio. Eu conseguia escutar a respiração dele do outro lado da linha.

Contei do meu descontrole, contei da dívida, contei da minha incapacidade de resolver tudo sozinha. Para minha surpresa, não chorei. Minha voz nem tremeu. Quando ele achou que eu tinha terminado, ouvi sua respiração mudar de ritmo, preparando-se para falar, mas, antes que ele pudesse se manifestar, continuei:

— Mas eu já sei o que fazer. Eu vou ficar um ano sem comprar nada. Nenhuma roupa, nenhuma bolsa, nenhum sapato. Eu vou juntar dinheiro e vou fazer um blog para escrever sobre isso.

Achei que ele fosse brigar comigo, falar que estava desapontado, me perguntar como eu tinha chegado até ali. Achei que ele fosse duvidar do meu comprometimento e da eficácia do meu plano. Já vi a cena toda se desenrolar na minha cabeça. Aquela testa franzida e a boca tensa que ele faz quando desaprova alguma coisa. Meu pai nunca foi de gritar, mas sabia falar grosso de um jeito que parava a gente no ato. Tinha muito tempo que ele não falava grosso comigo, mas eu me lembrava direitinho daquela sensação. Era por ela que eu estava esperando hoje. Era para ela que eu tinha me preparado quando passei a mão no telefone.

Passaram-se alguns segundos até que ele falasse alguma coisa. Ou talvez tenha sido só a minha ansiedade que fez o tempo parecer mais arrastado. Quando ele finalmente respondeu, sua voz estava serena. Séria, mas tranquila.

— Que bom que você tomou essa decisão, minha filha. Acho um ótimo plano. Como que eu posso te ajudar?

Eu nem sei dizer o tamanho do peso que saiu das minhas costas naquela hora. O meu segredo não era mais segredo nem era mais só meu.

Quando desliguei o telefone, fiquei pensando se, em alguma medida, aquela tranquilidade tinha sido só encenação. Um teatro para não me desmotivar, para que eu seguisse olhando para o futuro em vez de me martirizar sobre o que já estava feito. Imaginei ele, do lado de lá, desligando o telefone e indo contar para minha mãe sobre nossa conversa, deixando o fingimento de lado e se permitindo demonstrar sua decepção. Não era coisa da minha cabeça, não. Eu o conheço e sei que ele estava decepcionado. E também sei que deve ter sido um esforço enorme ter passado por aquela ligação sem deixar essa decepção transparecer.

Foi duro entender que, depois daquela ligação, eu não era mais a filha certinha, aquela que tem tudo sob controle. Ao mesmo tempo, foi bonito pensar que eles finalmente estavam descobrindo quem eu era e, ainda assim, escolhiam estar ao meu lado. Afinal, aquela filha lá nem existia.

6
Não vai sair na Vogue, não

Desliguei o telefone já atrasada para o trabalho. De novo. Tem coisas que nunca mudam.

Felipe ainda dormia no outro quarto. Decidi ter piedade de sua provável ressaca e saí para o trabalho sem me despedir.

Ao contrário do dia anterior, agora o universo parecia estar jogando a meu favor. O Socorro parou no ponto junto comigo e, por um milagre divino, não estava abarrotado. Sim, estava cheio, mas consegui entrar com certa facilidade e, na segunda parada, até arrumei um assento junto à janela. Inclinei levemente a cabeça para fora e senti o vento bater no rosto e bagunçar os cabelos, aliviando um pouco o calor daquele 3 de março. Até o trânsito paulista resolveu dar uma trégua. O Socorro acelerou na pista vazia e, pela janela, transformou em borrões os prédios da avenida Nove de Julho.

Fui a primeira do departamento a chegar, antes mesmo do chefe, que sempre madrugava. A manhã estava indo tão bem que me senti numa espécie de *Show de Truman*, encenando aquele momento de virada de uma trama que alguém escrevera para mim. Só faltava o povo começar a cantar na rua e desenhos animados cruzarem meu caminho. Estaria o roteirista me incentivando a continuar seguindo em direção à luz?

Catei um chá na copa, voltei para a mesa passando pelo salão vazio e abri meu computador com calma. Ainda tinha meia hora para matar até a minha primeira reunião do dia. Pela primeira vez em muito tempo, não estava esbaforida correndo de um lado para o outro.

Lembrei da promessa feita havia poucas horas e pensei que aquele tempo de ócio devia ser mais uma mensagem do destino me dizendo que era hora de fazer intenção virar ação. No computador, a tela em branco e aquele tracinho piscando me convidavam a sacramentar minha promessa. Meus dedos aceitaram o convite e começaram a digitar como se tivessem vida própria.

DIA 01

Assim como surgem todas as coisas que mudam as nossas vidas (olha eu pensando lá na frente), este blog começa na merda. Não, você não leu errado. A merda em seu sentido menos literal e mais amplo é, na verdade, a grande propulsora da evolução. Está na hora desta mocinha de 27 anos começar a investir em coisas mais importantes do que roupas. Chega de dívidas parceladas no cartão de crédito! Chega de vermelho na conta bancária! Viva as pessoas com caderneta de poupança!

Então tá. Combinado não sai caro e, no meu caso, nem pode, porque eu não tenho nem um tostão. Hoje começa o *Um ano sem Zara*: um aninho sem comprar nadinha. Zara neste caso é apenas uma metonímia, ou seja, uma parte para representar o todo, esse "todo" sendo toda e qualquer loja de vestimenta.

Este é, portanto, mais que um blog de moda: ele é um grito de independência do consumo! Regado a bons e velhos looks, claro.

Aos amigos céticos: eu sei. Vai ser difícil. Eu vou ter crises. E vou tremer e babar quando passar na frente de uma vitrine. Mas tenham fé em mim. Obrigada.

No menu acima do texto, vi a opção de incluir uma foto. Minha ideia inicial era fotografar a roupa que eu estava usando para mostrar, para quem porventura fosse acompanhar o desafio, que ali não tinha nada novo. Uma espécie de mecanismo de monitoramento do meu compromisso. Meus amigos mais próximos conheciam meu armário de cabo a rabo (até mais do que eu) e estavam plenamente aptos a me vigiar (se é que eles iam se interessar em ler alguma coisa que eu estava escrevendo). Mas naquele dia eu havia saído correndo de casa e esquecido de fazer qualquer mísero registro do look do dia. Eu mal tinha começado e olha a bela blogueira que estava me saindo. Previ um futuro não tão brilhante.

Abri o rolo da câmera do meu celular e encontrei uma foto bem genérica do meu armário, um close meio confuso, meio artístico em que se viam roupas penduradas em cabides de metal. Foi um dia desses em que eu estava inspirada e resolvi reorganizar tudo por cor. O ângulo da foto era estratégico e mostrava apenas o suficiente para se notar o degradê organizado e esconder a bagunça que ainda jazia na parte inferior. Pronto, escolhi aquela mesmo, que o bom é inimigo do ótimo.

Posicionei a setinha do cursor em cima do botão PUBLICAR e cliquei duas vezes.

* * *

DIA 2

Hoje eu demorei exatas duas horas para montar esse look. Pelo visto este blog vai contribuir não só para que eu não gaste mais dinheiro como também para que eu não ganhe mais dinheiro, visto que acabei chegando atrasada no trabalho.

Escrevi enquanto comia um sanduíche na minha mesa durante o horário de almoço.

Me conhecendo como me conheço, tratei de acordar cedo justamente prevendo a indecisão que a pressão para o primeiro look do ano acarretaria. Tirei tudinho o que tinha no armário, provei 35 looks diferentes e, duas horas depois, fiz a minha escolha, ou melhor, o relógio fez por mim: calça pantalona azul-marinho, camiseta listrada azul e branca e uma jaqueta azul e vermelha à la *Sergeant Pepper's*. Já vestida, resolvi adicionar óculos grandões bem vibe anos 60 e uma bolsa *off-white* enorme com alça curta, podre de chique, porém nada prática. Bolsa de quem não pega ônibus lotado. Não era o meu caso, mas ainda assim eu insistia no uso (e sempre me arrependia assim que saía de casa). Esse dia em especial valia o sacrifício, ia ficar bem na foto.

Falando em foto, arrumei um fotógrafo. No dia anterior, assim que publiquei o post do dia 1, mandei um e-mail para o Felipe. Aviso de antemão que definitivamente não foi dos e-mails mais românticos que mandei na vida.

Assunto: Procura-se um fotógrafo.

Corpo do e-mail: o link do post.

Eu sei, foi uma tática meio "joga a bomba e vai embora". Mas essa era a intenção mesmo. Eu não queria ter que me explicar nem ouvir um: "Por que você nunca me falou sobre isso?". Não queria DR nem olhar de pena, muito menos ficar debatendo meus anos de insanidade consumista quando eu já estava virando essa página.

Ele entendeu o recado e, minutos depois, respondeu: "Pra onde que eu mando o meu currículo?".

No dia seguinte, ele já estava a postos com a câmera na mão quando eu finalmente saí do quarto com a roupa escolhida.

— Ó, vai ter que ser rapidinho porque senão vou me atrasar — eu disse, tentando esconder o meu mau humor fruto do tira e põe de roupa.

— Tá linda, top model. Fica ali do outro lado que rapidinho a gente mata esse *job*.

No tempo que fiquei me arrumando, ele já tinha feito um estudo detalhado das paredes da sala, procurando o melhor fundo para servir de cenário para as fotos. Seguindo sua orientação, me posicionei em frente à parede branca que ficava colada na janela. Segundo o fotógrafo, ali o fundo era neutro, e a luz, mais bonita.

— Não é melhor a gente tirar esse quadro aqui atrás, pra ficar com o fundo todo branco? — perguntei, já levantando os braços para segurar a moldura.

— Não é pra parecer um estúdio. É pras pessoas verem que você tá em casa mesmo. Vai trazer uma proximidade — ele respondeu. E eu achei fofo e engraçado ele ter pensado sobre isso e também ele ter certeza de que alguém ia se interessar por essa história e ler o blog.

Parei em pé no local indicado pelo fotógrafo, olhei para dentro da lente e imediatamente perdi a noção do que fazer. Nunca imaginei que posar para uma foto podia ser um troço tão difícil, *pelamordedeus*. Mal tinha começado e já havia adquirido um respeito profundo pelo trabalho das modelos.

Ainda em pé, na posição indicada, me senti um polvo, com membros demais para administrar e braços que se mexiam involuntariamente, depois paravam em posições que não pareciam nada naturais. Ensaiei uma pose e de imediato me arrependi, me sentindo uma caricatura tosca daquilo que tinha imaginado. Na minha frente, o fotógrafo tentava me encorajar, mas me senti um tanto ridícula e comecei a perder a paciência comigo mesma.

— Quem que eu tô tentando enganar? Eu não sou blogueira! Não sei fazer essas coisas. Vai ficar tudo horrível. E eu já tô atrasada.

— Faz uma careta, Gisele Bündchen. É tudo uma brincadeira, não vai sair na Vogue, não. Tenta se divertir e para de se mexer tanto, senão não vai ter nenhuma foto com foco. — Eu mostrei os dentes sem rir e depois deixei escapar um sorriso de canto de boca.

Das mais de cinquenta fotos que tiramos, meu senso crítico autorizou a publicação de apenas três, e eram elas que agora ilustravam o post, cortadas verticalmente para caber uma ao lado da outra, mostrando, numa tacada só, ângulos diferentes do look. O look em si até tinha ficado bom, mas sigo achando que as fotos não fizeram jus a ele. Achei por bem reconhecer a minha inexperiência logo de cara e me comprometer com a evolução dali para a frente.

O clima era meio navy casual pré-Carnaval *Friday*, mas posso falar? Nem fiquei muito feliz com o resultado... Mas é o segundo dia, né? Um pouco de paciência com a novata vai bem.

* * *

O primeiro mês passou voando. O Carnaval logo no início ajudou: sete dias sem nem passar perto de um shopping, ocupada em beber cerveja quente às oito da manhã e cantar músicas compostas majoritariamente por vogais nos bloquinhos de rua. Até postei os looks para mostrar meu comprometimento, afinal, postar no feriado (ainda mais feriado de Carnaval) tem que valer o dobro. Mas não eram nada de mais. Aliás, nessa época do ano, eu partia do princípio de que quanto menos roupa, melhor.

Aos poucos comecei a me soltar mais nas fotos, e os ensaios rolavam com mais leveza. A essa altura do campeonato ainda tinha muita roupa nova no armário, então aproveitei para aplacar qualquer vontade de comprar usando tudo o que eu nunca tinha usado.

Estava tudo indo tão bem e eu estava tão empolgada com o meu progresso que, no fim da segunda semana, resolvi aumentar o grau de dificuldade.

DIA 12

Segunda-feira é dia de abraçar novos desafios. Por isso, resolvi fazer um exercício fashion: explorar como uma única peça pode render vários looks.

E desafio bom é desafio difícil. Portanto, esta semana eu vou fazer cinco looks com esse blazer xadrez nada discreto. Porque, se fosse a camiseta branca, era moleza, né, meu povo?

Então, combinado. De segunda a sexta desta semana, o meu blazerzinho vai me fazer companhia e no sábado ele vai direto para a lavanderia.

Quando a sexta-feira chegou, eu já estava plenamente convencida de que poderia seguir adiante por mais um mês usando o mesmo blazer, tamanha foi a minha criatividade para combiná-lo e recombiná-lo, mas abandonei a ideia com medo do odor que poderia vir a emergir dele depois de trinta dias de uso ininterrupto, ainda mais no calor úmido que andava fazendo em São Paulo. Não havia desodorante que aguentasse.

Sim, o desafio havia sido mais fácil do que eu imaginava, o que não quer dizer que não tenha sido profundamente elucidativo. No primeiro dia, usei o blazer do jeito que sempre usava: com calça jeans e camiseta branca. Básico, confortável, seguro. No segundo dia, decidi ver se dava para combinar com uma saia. Nunca tinha feito esse experimento, mas achei que os meus quatro leitores fiéis (meu pai, minha mãe, o Felipe e o Dani, meu melhor amigo) mereciam o esforço.

Tirei praticamente todas as saias do armário e fui testando cada uma, mesmo as que pareciam não fazer o menor sentido. Óbvio que nem tudo ficou bom; algumas combinações, aliás, beiraram o circense. Mas, nessa brincadeira de análise combinatória do armário, não é que surgiram uns looks novos surpreendentemente maravilhosos? O resultado mais interessante aconteceu quando combinei o blazer com uma saia *balonê* num tom de rosa pastel bem apagadinho. Antes de vestir, coloquei um ao lado do outro em cima da cama e achei interessante o contraste entre a masculinidade do blazer e o romantismo da saia. E, já que eu estava nesse clima de inovar, ainda incluí uma blusa de renda por baixo do blazer para pesar a mão no romantismo. Vesti a composição, olhei no espelho e me senti uma gênia do *styling*. Num passe de mágica, o blazer velho ficou novo.

Nos dias que se seguiram, eu e o blazer saímos do romântico, flertamos com o clássico, passamos pelo sexy e fechamos a semana no casual, com direito a shortinho de linho e cinto colorido. Todo dia na mesma dinâmica de me perguntar: será que dá para usar com um vestido? E com um short? Legging? A cada dia eu me olhava no espelho pronta e me assegurava de que nenhuma outra combinação seria possível, com certeza eu já tinha esgotado todas as possibilidades aceitáveis socialmente. E aí, no dia seguinte, eu ia lá e montava outro look tão interessante quanto aquele do dia anterior, ou mais.

DIA 16

Povo deste Brasil! O blazer resistiu! Foram árduos dias, foi duro o trabalho, ele mostrou várias facetas e, hoje, cansado da saga que lhe foi imposta, ainda consegue brilhar!

Sim, a semana que surgira como uma brincadeira para dar uma apimentada na promessa maior de ficar um ano sem compras acabou proporcionando uma verdadeira revelação. Ela tinha me mostrado que o grande culpado pela minha permanente sensação de não ter o que vestir não era o meu armário, era eu. Não é que eu não tivesse o que vestir, é que eu não sabia o que vestir nem como vestir. Eu não me empenhava minimamente em fugir do óbvio, da primeira ideia, daquela que me fora vendida pelo manequim da loja e, assim, acabava vestindo tudo sempre do mesmo jeito. E aí a saída para inovar, para ter um look diferente, era sempre a mesma: comprar algo novo.

Bastou que eu saísse um tiquinho da minha zona de conforto que a cabeça começou a funcionar e a criatividade começou a fluir, combinando, inventando, criando. Ainda tímida, ainda com medo de errar, mas, mesmo assim, tentando.

Fazia dezesseis dias que eu não comprava nada e, paradoxalmente, nunca tinha usado tanta coisa nova.

7

A melhor roupa de todos os tempos da última semana

O segundo mês chegou junto com minha primeira crise de abstinência. Meu aniversário estava ali virando a esquina, as lojas todas em liquidação de verão, as primeiras tendências do outono/inverno começando a ganhar as ruas e eu presa numa espécie de filme de terror fashion: *Eu sei o que você usou no verão passado*.

Eu olhava para aquele armário lotado e, pela primeira vez em trinta dias, só conseguia enxergar o que ele não tinha: a saia longa que agora estava em todas as partes, os tricôs pesadões que voltaram com tudo, as botas de cano alto que em nada se assemelhavam às minhas *ankle boots*.

Nem um terço do desafio tinha se passado e eu já estava pensando em arregar. Eis que, quando eu menos esperava, uma surpresa vinda de terras cariocas caiu no meu colo e conseguiu — momentaneamente — aplacar o meu siricutico consumista.

Era uma quinta-feira. Voltei do trabalho cansada, depois de um dia daqueles em que não dá para parar dois minutos para fazer um xixi. Ao entrar no prédio, Severino já me esperava com um pacote em mãos e um sorriso no rosto.

— Joanna, chegou pra você.

— Pra mim, Severino? — respondi, sem esconder minha surpresa. A cena era normal e bem frequente até um mês atrás, mas desde que eu me comprometera a não comprar nada (nem pela internet) que não chegava nem um pacotinho sequer em meu nome naquele endereço.

Ele confirmou. Joanna Moura, apartamento 101.

Agradeci, estendendo os braços para receber o pacote de tamanho médio.

Entrei no elevador avaliando a caixa em busca do nome do remetente, que acabei encontrando num cantinho escondido do verso: Marcela. Minha irmã? Me mandando caixa de quê?

Abri a porta de casa, larguei a bolsa no sofá e carreguei a caixa comigo até a cozinha. Abri a gaveta, catei a tesoura e cortei a fita adesiva que lacrava o pacote misterioso. Meus olhos mal podiam acreditar no que estavam vendo. Lá dentro, embrulhadinhos em papel de seda, estavam três vestidos. O cartão que encontrei perdido embaixo das roupas dizia:

"Baby, tenho muito orgulho de você. Achei que você merecia um presente de aniversário antecipado para dar um gás na sua saga. Te amo.

Beijos da sua irmã,

Marcela"

Meus olhos se encheram de lágrimas. Estava aí mais um efeito inesperado dessa jornada: eu nunca dera tanto valor a um presente. Pelo contrário, sempre fui dessas pessoas impossíveis de agradar, que trocam literalmente tudo o que ganham. Daquela vez foi diferente. Olhei cada vestido com os olhos de quem os havia comprado e pensado: a Jojo vai amar esse. Eram todos lindos e foi mesmo amor à primeira vista. Ainda assim me permiti analisar cada um, procurando encontrar mais beleza nos detalhes escondidos, no toque do tecido, no zíper perfeitamente embutido, na fenda, na manga, na barra bem-feita. Experimentei cada um em frente ao espelho e agradeci mentalmente por terem ficado perfeitos. Eu ainda não estava preparada para me embrenhar num shopping, nem mesmo para fazer uma troca.

O presente chegou na hora certa e teve o efeito desejado: aquietou a minha coceira consumista e renovou a minha energia para seguir em frente com o *Um ano sem Zara*. Mais do que isso, fez com que eu me sentisse amada e compreendida.

Se engana quem pensa que saí usando os três logo de cara. Nada disso. Tinha muito chão pela frente nessa saga, e eu precisava guardar uns trunfos na manga para aqueles dias em que só uma roupa nova salva.

* * *

Tudo ia bem. O corte de gastos com roupas estava começando a dar resultado, e aos poucos o buraco do cheque especial ia começando a parecer menos profundo. Confesso que ver algum dinheiro voltando a fluir na conta me motivou mais do que eu poderia imaginar e, por algum tempo, a sede de comprar ficou adormecida.

Os dias passavam rápido. O trabalho andava intenso. Depois daquela fatídica reunião desastrosa, caíra a ficha de que eu precisava me esforçar mais. Não só para apagar a mancha na minha reputação depois daquele dia, mas porque eu queria crescer, queria ter mais responsabilidade, pegar campanhas maiores, trabalhar com os clientes mais legais e, um dia, ganhar mais. Para isso acontecer, não tinha atalho. O único jeito era ralando.

A primeira mudança desse novo ato da minha carreira foi passar a chegar pontualmente todos os dias, coisa que, preciso admitir, estava longe de ser regra antes. Também larguei de enrolação durante o dia — aquelas conversas de corredor deliciosas que tomam tanto tempo — e comecei a focar, entregar meus projetos mais rápido e, logo em seguida, levantar a mão de novo para pegar novos. Se não tinha nada rolando, eu inventava coisa para fazer, briefings proativos que o cliente não tinha pedido, análises do que a concorrência andava fazendo para inspirar os times de criação.

O novo ritmo, além de obviamente contribuir para que eu começasse a ser vista de outra forma dentro da agência, mantinha a minha cabeça sempre ocupada e canalizava minha energia para longe do shopping.

No meio disso tudo, o momento de me arrumar de manhã virou uma espécie de terapia que, por ora, substituiu a terapia das compras.

Eu estava curtindo aquela história de me reconectar com o meu armário, com coisas que eu não via tinha muito tempo e outras que eu via sempre mas não explorava direito.

Até que recebi uma ligação.

— Joanna? Tudo bom? Meu nome é Renata, eu sou da produção do *Fantástico*. A gente tá fazendo uma matéria sobre pessoas viciadas em compras e eu cheguei no seu nome. Será que você topa dar uma entrevista pra gente e falar do seu projeto?

— ... — eu, muda na linha durante uns cinco segundos, sem acreditar.

— Oi, Joanna, você tá aí, querida?

— Oi, oi, tô aqui. Desculpa. Lógico. Topo, sim.

Uma semana depois, tinha uma equipe de filmagem fuçando dentro do meu armário. Das duas horas que ficaram lá em casa, só dez segundos apareceram na reportagem. Eu entrava bem no finalzinho, depois de três outros personagens igualmente consumistas e afundados em dívidas:

— A Joanna passou anos no vermelho por conta dos gastos excessivos com roupas. Há um mês ela se propôs um desafio para tentar mudar de vida: ficar um ano sem comprar nada — dizia a voz em *off* da Renata Ceribelli.

A gente tinha até chamado uma galera para ver a matéria lá em casa. Quando acabou, todo mundo ficou se olhando meio sem graça pensando: é só isso? Celebramos ainda assim: dez segundos no *Fantástico* era melhor que nada. Seguimos bebendo vinho e falando da vida.

Qual não foi a minha surpresa quando, no dia seguinte, ao sentar na frente do computador para escrever o post do dia, me deparei com mais de cem novos comentários no post do dia anterior. Na caixa de entrada do e-mail que eu havia atrelado à conta do blog, encontrei mais cinquenta novas mensagens.

"Que demais o seu blog! Quanta criatividade!"

"Você está me incentivando a olhar de um jeito diferente pro que eu tenho!"

"Quanta roupa linda! Dá pra ver por que você tá endividada!"

Achei que fosse um interesse momentâneo, os meus dois minutos de fama por conta da matéria. Mas, no dia seguinte, tinha ainda mais gente chegando.

"Amei esse look! Faz uma semana temática com essa calça?"

"Hoje me inspirei em você pra me vestir pra trabalhar!"

"Não vejo a hora de saber o que você vai aprontar amanhã."

Nas semanas que se seguiram, o meu telefone não parou.

— Oi, Jojo, tudo bem? Aqui é da revista *Veja*...

— Oi, Joanna, meu nome é Cláudia, sou repórter da *Folha de S. Paulo*...

— Alô, Joanna? Aqui é a Mariana, trabalho na MTV...

E, a cada matéria que saía, mais gente nova chegava.

A multidão de novos olhos apontados para mim gerou um efeito inusitado. A leveza com que eu andava tratando o desafio até então deu lugar a uma pressão para me puxar mais e entregar o que eu achava que as pessoas queriam ver: belos looks. Eu acordava de manhã, experimentava mil roupas e nunca ficava satisfeita com o resultado final. Olhava no espelho e, num dia, era um tal de *Tá sem graça. Quem vai querer vir aqui pra me ver de jeans e camiseta?* e no outro a sensação era mais para *mirei na* Vogue *e caí no Halloween. Quem usa isso, pelamordedeus?*

Até que numa tarde de sábado, enquanto me arrumava para sair para almoçar com um casal de amigos, frustrada por já ter provado quinze looks e não ter me encontrado em nenhum deles, avistei uma *Vogue* descansando em cima da poltrona do quarto, com um raio de sol fazendo brilhar a capa envernizada. Eu precisava de inspiração e lá estava ela, divinamente materializada em cima da poltrona.

Veja, não era difícil encontrar uma *Vogue* na minha casa, não. Havia muitos anos eu estabelecera o hábito de comprar a edição do mês assim que ela aterrissava nas bancas. Ao longo do tempo, esse hábito me rendeu uma coleção de exemplares que alguns considerariam invejável.

Larguei a montanha de roupas na cama e me sentei para folhear a revista. Tratava-se da última revista que eu tinha comprado antes de fazer a minha promessa.

Folheei sem ler, só olhando as fotos e figurinhas em busca de alguma ideia de look que pudesse ser replicada com o que eu tinha no armário. Nas primeiras cinquenta páginas contei quase trinta de propaganda, todas contendo modelos magérrimas, muitas delas seminuas, e me perguntei por que, numa revista de moda, se vê tão pouca roupa. Tinha mulher pelada vendendo óculos, mulher pelada vendendo perfume, mulher pelada vendendo calça jeans.

As outras vinte páginas pareciam uma lista de compras.

"Os *must have* da estação."

"Cinquenta coisas que não podem faltar na sua mala de viagem."

"Rio quarenta graus: vinte biquínis para não fazer feio na praia."

Pouquíssimos looks ilustravam as matérias. Pouquíssimas dicas de como usar aquilo tudo. Só uma lista atrás da outra do que eu tinha que ter e não tinha. Fechei a revista com a rapidez de quem viu um fantasma e me vi com treze anos outra vez.

Lá nos anos 90 ainda não havia rede social, nem blogueira de moda, nem família Kardashian, mas tinha a *Capricho*, a *Atrevida* e a *Todateen*.

Imagine a irmã mais velha, mais sabida, mais experiente, que já passou por tudo aquilo que esse seu eu adolescente estava vivendo no momento. Era isso que essas revistas eram para mim, aquela irmã mais velha meio mandona, meio julgadora, mas que você ama mesmo assim.

Eu me lembro de comprar a revista na banca e ir correndo para o meu quarto, deitar na cama e devorar cada página, absorvendo cada conselho, cada referência, cada tendência. Numa época da vida em que eu ainda não fazia a menor ideia de quem eu era, a *Capricho* era a minha bíblia, o guia de como existir sendo adolescente nos anos 90. E nessa bíblia não faltava dogma. Era um tal de "tem que ter isso", "tem que ser aquilo", "faça isso", "não faça aquilo", sempre naquele tom meio déspota, meio "ouve que é para o seu bem".

Para deixar a coisa ainda mais complicada, as "dicas" eram muitas vezes completamente contraditórias. Numa página, você tinha que aprender a se aceitar e se amar. Na seguinte, tinha que combater as estrias, as espinhas e o frizz.

Mas a Jojo de treze anos estava longe de ter senso crítico, devorava as páginas e dizia amém a cada dica generosamente compartilhada. Entre um quiz para saber qual seria o meu tipo ideal de paquera e uma entrevista com o astro da nova temporada de *Malhação*, a editoria que mais me pegava de jeito era a de moda. E se a *Capricho* era como uma irmã mais velha, meio metida a sabe-tudo, a editoria de moda era o namorado tóxico que faz você se sentir meio merda, mas te deixa querendo mais.

"A roupa certa para aquele dia especial."

"A roupa certa para sair à noite."

"A roupa certa para o seu tipo de corpo."

"O acessório certo para cada tipo de roupa."

Eu não inventei essas chamadas aí, não. E é lógico que as roupas certas nunca eram as que estavam no meu armário. Agora repare bem no que está escrito ali e complete a frase: se tem uma roupa certa, então todas as outras são...

Esse julgamento, bem preto no branco, levava em consideração não só as tendências do momento (ditadas obviamente pela própria revista e seus anunciantes), mas também a maneira como a "boa menina" deveria se comportar. Feminina, mas sem mostrar muito, estilosa, mas sem ser muito espalhafatosa. Eu sei, parece um papo do século passado (e de fato era, do milênio passado inclusive), mas era quase onipresente.

Preciso pausar aqui para apontar o óbvio: estamos falando de revistas feitas para adolescentes. Meninas entre treze e dezessete anos cheias de inseguranças, cujo maior medo é justamente errar. Eu me lembro de ter tanto medo de chegar a uma festa e estar arrumada demais ou de menos que chamava as amigas para se vestirem lá em casa e irmos juntas. Assim a gente garantia que estaria adequada para o nível de elegância do evento ou, na pior das hipóteses, coletivamente inadequadas.

Mas pense comigo: essa retórica binária da roupa certa *versus* a roupa errada tinha obviamente um outro lado. O terror de errar o look era também o mais potente gerador de desejo. O empenho com o qual a gente fugia do look errado era o mesmo com o qual a gente corria atrás do look certo. Afinal de contas, se a roupa errada, na nossa cabeça, tinha a capacidade de arruinar alguém para todo o sempre, encontrar a roupa certa era primordial, necessário. E foi assim que, aos treze anos, eu fui apresentada ao conceito do *must have*, essa ideia de que tem uma, duas, três ou vinte coisas que eu *preciso ter* para ser quem eu quero ser.

"A saia de couro que você precisa ter!"

Foi dessa chamada aí, que se repetia página sim, página também, que nasceu a confusão entre desejo e necessidade. Porque ninguém precisa ter a tal saia de couro. Mas essa afirmação com direito a ponto de exclamação, proferida por uma voz de autoridade, por essa irmã mais velha que sabe das coisas e só quer o seu bem, tem poder. Quando combinada com esse momento da vida em que os hormônios estão a todo vapor e o senso crítico, longe de estar completamente formado, ela faz com que aquela peça-desejo vire a solução para todos os problemas, a chave para um éden de autoconfiança e pertencimento.

Eu mordi a isca. Folheava as revistas fazendo anotações mentais de tudo que eu queria comprar, de tudo o que eu queria ter.

Mais de uma década depois, me peguei de novo desejando uma lista de coisas impressas nas páginas de uma revista. Uma revista para mulheres adultas, mas parecida até demais com as que eu lia nos anos 90. Sim, estão pregando a palavra do *must have* praticamente desde que nos entendemos por gente. E isso tem poder. É tanto tempo ouvindo o mesmo mantra que a gente passa a acreditar nele e se pega na frente das vitrines, repetindo: eu preciso.

Levou 27 anos, um armário cheio, uma conta bancária vazia e dois meses sem comprar para que eu enfim entendesse que nada que aparecia naquelas páginas deveria ser necessário. Mas essa é daquelas profecias que se autocumprem, sabe? Não, você não precisa ter a saia de couro do momento. Mas, se tiver, talvez as pessoas vejam você de outra forma, porque elas também leram na revista que deveriam ter aquela mesma saia. E o fato de você tê-la lhe confere um certo status que talvez facilite a sua vida de algum modo, talvez uma furada de fila para entrar na balada, talvez ser escolhida para uma vaga de emprego. Ou seja, a partir do momento em que a moda aponta alguma coisa como "necessária", ela passa a ter poderes mágicos, a abrir portas, tornando--se assim efetivamente necessária.

Eu estava havia dois meses sem comprar e, pasmem, não tinha sido vaiada na rua apesar de não estar usando uma peça nova sequer. Tinha dois meses que não entrava nenhum *must have* no meu armário e, em tempos de *fast fashion*, dois meses podem ser o tempo necessário para transformar um *must have* num *must not have*, algo que você *não pode* usar. Porém, preciso reconhecer que ainda gozava do status conferido por todos os *must have* que já adquirira na vida e que, de alguma forma, me abriram portas e me ajudaram a chegar até ali.

Mas a verdade é que eu estava cansada de fazer parte desse complô de criação de necessidades, desse feitiço que faz a gente ter que ficar sempre correndo atrás da última coisa do momento, da melhor roupa de todos os tempos da última semana.

Levantei da poltrona, fui até o móvel onde estava a coleção de *Vogues* e joguei todas no lixo.

8

Noooooossa, vai pra onde assim?

Eu não devia ter jogado as *Vogues* no lixo. Na manhã seguinte, amarrei uma canga na cabeça e fui trabalhar. Juro. O resto do look também estava, digamos, excêntrico (para não dizer uma bela merda). Um blazer por cima de um vestido, por cima de uma calça. Eu parecia o Joey de *Friends* naquele episódio em que ele decide usar todas as roupas do Chandler, uma por cima da outra. Pelo menos a minha versão toda preta era (um pouco) menos espalhafatosa.

Estávamos no dia 78 e eu podia assegurar: as ideias haviam se esgotado. Meu cérebro simplesmente se cansara, não conseguia mais produzir nenhum look e agora tinha passado a me boicotar. Fazia uma semana que eu só saía de casa vestida de combinações esdrúxulas como essa da canga-chapéu.

Para piorar, estava frio em São Paulo. Sempre achei engraçado que o paulistano tenha convicção plena de que em São Paulo não faz nem frio, nem calor. "Ar-condicionado? Imagina, precisa não. Em São Paulo o clima é ameno", me diz o taxista enquanto entro no carro num calor de 38 graus. "Aquecedor? Imagina, precisa não. Em São Paulo o clima é ameno", me diz o garçom do restaurante cujo termostato deve estar batendo nove graus.

Fato é que eu sinto muito frio e não sei me vestir para o frio que sinto. Naquela época, o meu armário ainda não possuía as ferramentas necessárias para me proteger do frio da cidade. Eu sou de Salvador. Lá na minha terra, 24 graus com chuva e vento já é considerado inverno. Baixou de 22, estamos falando de um cenário apocalíptico.

Então lá estava eu tentando ser criativa, não passar frio e manter o mínimo de dignidade, usando a mesma meia-calça — que odeio — havia duas semanas. Jogando casaco por cima de blusa, e chapéu de feltro por cima de canga.

Estou aqui culpando o frio, mas que fique bem claro que eu sei que era eu mesma que estava empacada. Eu tinha plena convicção de ter esgotado todas as possibilidades de combinações minimamente aceitáveis que o meu armário era capaz de produzir. Até post de pijama já tinha rolado. Andava tão desesperada que, na impossibilidade de xeretar uma vitrine ou folhear uma *Vogue*, resolvi apelar para a única fonte de inspiração possível naquele momento: a minha coleção de DVDs de *Sex and the City*.

Você não viu *Sex and the City*? Tudo bem, eu te dou um panorama geral aqui para a gente ficar no mesmo barco. A série narra as peripécias de quatro amigas — Carrie, Samantha, Miranda e Charlotte — no alto de seus trinta e poucos anos, solteiras, vivendo em Nova York.

Como o próprio título já entrega: tinha muito sexo na cidade, e isso era bem incrível. A primeira temporada estreou em 1998, e não havia nada nem parecido rolando na TV naquela época. Uma série feita para mulheres falando abertamente sobre sexo, mas também sobre independência, prazer, ambição, amor e amizade.

Não vou mentir: eu era muito fã mesmo e, em muitos aspectos, ainda sou. Vi todas as temporadas pelo menos duas vezes, ri, chorei e, quando fui a Nova York, fiz questão de ir a pelo menos quatro restaurantes que aparecem na série e fui pegar fila na porta da Magnolia Bakery só para comer aqueles *cupcakes* que nem são tão bons assim. Quando apareceu aquele quiz do Facebook para descobrir "Qual personagem de *Sex and the City* é você?", eu fiz o teste várias vezes, alternando as respostas até que o resultado fosse o único possível: "Você é Carrie Bradshaw".

Óbvio que, assistindo à trama vinte anos depois e sem a ingenuidade dos meus dezesseis aninhos, é impossível não problematizar. *Sex and the City* é cheia de elitismo, conservadorismo e estereótipos nocivos. Mas, ainda assim, não há como negar sua importância. Uma série cujas protagonistas eram todas mulheres, falando de sexualidade feminina de um jeito que ninguém nunca tinha feito antes e que tanta gente copiou depois. *Gossip Girl* que o diga.

Mas se a trama hoje em dia parece meio ultrapassada, preciso confessar que, até hoje, eu cultivo um amor platônico pela Carrie. Afinal, como eu não ia me identificar com uma mulher que ganha dinheiro escrevendo e gasta dinheiro comprando sapatos? Carrie foi para Nova York em busca de amor, bons looks e uma carreira. Eu estava em São Paulo tentando não me atrasar para o trabalho enquanto me empenhava em montar bons looks e entender se ter dois fogões ocupando a mesma cozinha era realmente amor.

Piadas à parte, eu amo a Carrie. E a odeio às vezes também. Mas amo mesmo odiando porque ela é dessas heroínas perfeitamente imperfeitas. Ela faz ioga mas bebe, se joga na balada e acorda de ressaca; come salada mas curte um dogão; escreve lindamente mas fica empacada e perde o prazo no trabalho; pega uns carinhas nada a ver mas se apaixona e vive histórias de amor reais com começo, meio e fim; vacila com as amigas de vez em quando mas está lá na hora da treta, do choro da madrugada, do segura minha mão, *pelamordedeus*! E eu me vejo no meio disso tudo, nessa incoerência interessante, nessa mulher que erra mais do que acerta mas que está tentando se encontrar na vida com direito a muito caos e algumas glórias.

E aí tem o figurino, né? E, se tem uma coisa que *Sex and the City* continua entregando lindamente vinte anos depois, essa coisa são os bons looks. Sim, *SATC* segue sendo um bálsamo para os meus olhos fashionistas. E o figurino de Carrie em especial é uma obra-prima. Patricia Field, figurinista da série e minha eterna ídola, conseguiu criar para Carrie um guarda-roupa que é a perfeita tradução das incongruências da personagem. Com Carrie, Patricia quebra todas as regras, e o resultado são looks meio lindos, meio bregas, meio perfeitos, meio nada a ver. Ela combina descombinando, usa sandália aberta com meia xadrez três quartos, saia de seda com pochete, sutiã por cima da camiseta. E, de alguma forma, tudo funciona. O que eu não teria dado para ter Patricia sussurrando ideias aqui no meu ouvido durante meu ano de abstinência? Aposto que ela faria milagres com o conteúdo do meu armário.

E foi pensando nisso que abri o baú onde guardava o box da série, fechei os olhos e puxei uma temporada aleatória. A ideia não era me entreter com a história. Nada ali era novidade, nada seria *spoiler*, eu sabia exatamente quem pegava quem e quando. Deixei o destino escolher por mim, me mostrar o caminho da inspiração. Ele decidiu que veríamos o episódio um da temporada quatro. Dei PLAY e me entreguei ao som da música de abertura, na esperança de que Carrie me ajudasse a sair do bloqueio fashion no qual me encontrava.

Quatro pares de pernas andam apressados por uma rua escura, se equilibrando perfeitamente em cima de saltos altíssimos como se estivessem de mocassim. Antes mesmo que a câmera siga seu percurso e desvende as quatro amigas, já é possível dizer qual par de pernas é de quem. O *peep toe* de lacinho da Charlotte, o pretinho multiúso da Miranda, o *stiletto* roxo da Samantha e, claro, o bicolor inusitado, meio escarpim, meio oxford da Carrie.

O ângulo aberto da câmera revela o grupo. Sempre amei o figurino da série, mas nunca tinha dado a devida atenção à maneira como ele ajuda a pintar cada uma dessas quatro personagens. Eu cansava de sair em São Paulo e ver grupos de mulheres vestindo exatamente a mesma coisa. A coisa "da moda". Todas sentadas em torno da mesa do restaurante ou em pé em algum fumódromo de alguma balada, uniformizadas. O mesmo cabelo comprido perfeitamente loiro, o mesmo vestido *bandage* em tom pastel, o mesmo salto muito alto e muito fino. Nossa, acho um tédio. Vejo esse povo todo igual e penso em quanto aquelas roupas de fato representam aquelas pessoas. Não é possível que todas sejam assim, tão iguais, que tenham exatamente o mesmo gosto, se sintam confortáveis com as mesmas peças, tenham nascido com a mesma textura de cabelo.

E eis ali, na tela da minha TV, um grupo de amigas — fictícias, vá lá — usando a moda como a tradução perfeita de suas diferenças, nuances, gostos e visões de mundo, de suas regras e transgressões. O que as leva a resultados absolutamente únicos. É caricato? Lógico! Mas é feito para ser assim, para a gente entender, à primeira vista, quem é quem na fila do pão.

E assim, na primeira cena do primeiro episódio que escolhi ver, a neblina que andava turvando as minhas ideias começou a se dissipar e deu lugar a uma clareza com ares de epifania. Se a minha fonte de inspiração interna tinha secado, talvez a solução fosse saquear a fonte de outrem. Experimentar sair do meu molde, das regras que me aprisionavam e das combinações que já estavam tatuadas no meu cérebro e encarnar o estilo alheio. Ou os estilos alheios, no plural. Mais precisamente, os distintos estilos de quatro moças fictícias.

Desliguei a TV e fui dormir.

* * *

Na segunda-feira seguinte, fui trabalhar vestida de Charlotte. E que alívio foi não ter que me vestir de mim.

Acordei, olhei meu armário e, em vez de procurar o que eu queria vestir, saí em busca do que Charlotte usaria. Se você nunca viu nem um episódio de *Sex and the City*, ela é a mocinha romântica, hiperfeminina, perfeccionista, cuja meta de vida é casar e ter filhos. Isso tudo é traduzido num guarda-roupa clássico, com muitos vestidos, saias e acessórios delicados.

Meu olho foi instantaneamente atraído por um vestidinho preto com a saia mais armada. Nunca tinha nem cogitado usá-lo para trabalhar, mas consigo imaginar Charlotte indo até à padaria da esquina com ele. Bastou colocar o vestido no corpo que o resto do look aconteceu naturalmente. O escarpim preto de salto médio e bico arredondado, os brincos de pérola, o cabelo preso naquele penteado meio princesa: minha Charlotte estava pronta.

Terça foi dia de Miranda. A advogada workaholic que fala as coisas na cara e não leva desaforo para casa, mas que tem um lado divertido e esconde um coração mole. O armário de Miranda é sóbrio, sério, poderoso, cheio de tons terrosos que ornam perfeitamente com seu cabelo cor de cobre. Dessa vez, comecei a pensar no look pelas cores. Achei uma saia de couro marrom que herdei da minha mãe e nunca tinha usado. Era séria demais para mim, mas não para Miranda. Metade do look resolvido, vamos para a parte de cima. Fácil.

Uma hora depois, eu ainda estava de saia e sutiã. Estava aí mais uma razão para eu nunca ter usado a saia: não tinha nenhuma parte de cima que combinasse com ela. Ou pelo menos nenhuma que resultasse num look digno de Miranda.

Deixei o peso do corpo cair sobre a cama enquanto fitava o armário aberto na minha frente. Estava prestes a jogar a toalha quando meu olhar pousou sobre um pedacinho de pano, uma pontinha de tecido terracota que despontava por trás de uma jaqueta jeans. Cheguei mais perto e puxei a jaqueta para revelar um vestido de crepe de seda, meio transparente, delicado e poderoso, feminino e moderno, tudo ao mesmo tempo.

Lembrei na hora de onde ele tinha vindo: um bazar do Alexandre Herchcovitch que rolava uma vez por ano no Rio. Não era exatamente um programa agradável: um monte de roupa amontoada em araras num galpão sem ar-condicionado, no meio do verão carioca. Ah! E não tinha provador nem espelho, portanto experimentar uma peça exigia certo nível de desinibição e imaginação. Eu, como frequentadora assídua, dava o meu jeitinho. Ia de biquíni por baixo da roupa e levava o Dani a tiracolo para tirar fotos dos looks com o celular.

Era perrengue dos brabos, mas a recompensa para aquelas almas guerreiras que se aventuravam a passar uma horinha naquele calor de quarenta graus, tirando e botando roupa, era alta: Alexandre Herchcovitch a preço de banana.

O vestido tinha custado vinte reais. Bom, né? Mas eu nunca tinha usado. A jaqueta jeans logo ao lado custara 120 e praticamente andava sozinha de tantas vezes que eu já havia usado a coitada. Qual das duas tinha sido, portanto, a melhor compra? Vou deixar que você faça essa matemática. De qualquer forma, parecia que naquele dia o tal vestido pechincha, *pero no mucho*, enfim faria sua estreia.

Com os braços para cima, senti o vestido escorregar pelos meus ombros e se assentar no corpo. Olhei no espelho e lembrei por que o coitado nunca tinha saído do armário. Ele era um tamanho maior que eu, ficava comprido e largo demais. Também era transparente e exigia por baixo uma camisola que eu não possuía. Preciso confessar que esse era o tipo de burrada que eu cometia rotineiramente antes de ter a brilhante ideia de me abster do consumo: comprar alguma coisa que não faz o menor sentido (não me cabe, não tenho onde usar nem com que usar) só porque o preço estava camarada.

Mas lá estava eu, presa com o tal vestido num ano em que nada entrava e nada saía daquela casa, então era melhor tentar fazer bom uso. Puxei a saia para baixo e a vesti outra vez, agora por cima do vestido. Fechei o zíper e puxei um pouco do tecido do vestido para fora, até que a barra desaparecesse por baixo da saia. Olhei no espelho: o vestido inútil tinha virado uma blusa útil.

Na quarta-feira fui de Samantha, a relações-públicas poderosa, extravagante, hipersexual e absolutamente desinibida. Samantha é dessas pessoas (fictícias) que não dão a mínima para o que os outros pensam e, portanto, se dão ao direito de usar e mostrar o que querem. O armário de Samantha é como sua personalidade: maximalista.

O desafio Samantha foi mais fácil do que eu imaginava que seria. Abri o armário e catei tudo de mais chamativo que havia ali dentro: uma calça azul-royal, uma chemise estampada com desenhos de correntes douradas num fundo vermelho e bege. Usei a camisa amarrada na cintura e com vários botões abertos para o decote ficar bem Samantha. Achei que estivesse arrasando, mas aí empaquei no sapato. Não dava para ser basiquinho. Tinha que ser alto e falar alto. Olhei para minha prateleira arrumadíssima e fiquei intrigada com um escarpim com estampa de onça, de fundo vermelho com pintinhas pretas. O tipo de sapato que eu estava acostumada a usar com um vestido preto basiquinho ou uma calça jeans e blusa branca. Definitivamente não com uma calça azul-royal e uma camisa estampada. Mas naquele dia eu era a Samantha, então tudo bem.

A decisão de deixar Carrie por último foi obviamente intencional. A ideia era fechar com chave de ouro, mas também ganhar tempo. O look Carrie exigia certo preparo, certa pesquisa.

Passei a semana vendo episódios aleatórios de temporadas diferentes em busca de decodificar o jeito Bradshaw de se montar. Chegava em casa à noite, tomava banho, colocava minha camiseta velha e jantava vendo dois ou três episódios.

No primeiro dia, me deixei levar pela história. Ri com o ménage desastrado que Samantha propôs ao namorado e chorei com uma das tantas idas e vindas de Carrie e Mr. Big. No segundo dia, consegui fazer o dever de casa: reparei nas roupas e separei umas combinações para tentar imitar o que via na tela. Mas aí chegou o terceiro dia e eu comecei a sentir um incômodo.

Sabe quando você está ficando com alguém e está tudo gostoso, vocês saem para jantar, o papo é bom e vocês só veem as qualidades um do outro? E aí a pessoa propõe uma viagem juntos e, do nada, a interação que durava poucas horas, dia sim, dia não agora inclui horas suficientes para descobrir que ele é meio machista e ronca a noite toda quando bebe mais de duas cervejas?

Pois bem. Eu nunca tinha passado tanto tempo com a Carrie, mas, depois de três noites juntas, eu estava começando a achar que talvez ela não fosse a melhor das influências.

Não é preciso ver nem meio episódio para entender que Carrie *ama* comprar. Ela celebra comprando, se consola comprando, se diverte comprando. E ela compra *muito*. Carrie tem um armário lotado de roupas e sapatos caros demais para caberem no seu orçamento de escritora de coluna de jornal local, ainda mais quando esse local é a cidade mais cara do mundo.

E eu nunca tinha visto nenhum problema nisso. Até então. Até aquele momento em que ela seguia comprando e eu não. Eu sempre quis ser a Carrie, mas só depois do nono episódio em três dias consegui entender com clareza: eu *era* a Carrie. E estava tentando com todas as forças não ser mais.

A revelação veio como um raio que te atravessa num segundo, mas ilumina tudo ao redor e faz você enxergar as coisas de um modo que nunca tinha enxergado antes. E, quando isso acontece, é impossível voltar a ver as coisas daquele jeito antigo. Tipo quando você percebe que tem um C naquela parte vazada no meio da logo do Carrefour (pode dar um Google, eu espero). Depois de ver o C, você nunca mais consegue ver só a seta, o C vai para sempre estar ali. Foi assim que me senti nesse terceiro dia de maratona *Sex and the City*: eu estava enxergando o C da Carrie pela primeira vez. E era um C bem grandão, ou melhor, dois Cs: de Consumista Compulsiva.

Assim como a minha, a relação de Carrie com o consumo passa longe de ser saudável. Ela gasta demais e tem de menos. Ostenta sapatos Manolo Blahnik mas quase nunca viaja. Enterrou uma arca do tesouro dentro do armário, mas de nada vale todo aquele ouro quando ela está prestes a ser despejada de seu apartamento. Em suas próprias palavras: "Eu gastei 40 mil dólares em sapatos e não tenho onde morar?".

Eu me vi refletida nesse espelho. E, como Carrie, também me vi obrigada a questionar: *Onde eu estaria agora se não tivesse enterrado tudo o que ganhei na vida dentro do meu armário?*

Em que casa eu moraria? Quantas viagens eu teria feito? Quantos cursos teria estampando o meu currículo? Senti uma tristeza profunda, seguida de uma raiva que me fez querer quebrar a televisão. Que armadilha maldita aquela em que eu tinha caído.

Sex and the City é a cilada perfeita porque a série não disfarça quem Carrie é, mas faz isso de um jeito engraçadinho. Hahahaha!, a Carrie guarda cardigãs no forno porque não cabem no armário. Hahahaha!, a Carrie vai ter que pegar ônibus usando seu vestido Prada. E assim Carrie faz a gente rir de seu consumismo, faz a gente enxergá-lo quase como um atributo charmoso, divertido, uma dessas idiossincrasias que beiram o adorável. Não é defeito, pelo contrário, é quase uma qualidade.

Veja, eu não estou dizendo que *Sex and the City* me tornou a consumista que eu tentava desesperadamente não ser mais. Mas, depois de nove horas de episódios praticamente ininterruptos, tive plena convicção de que a série teve, sim, um papel fundamental no meu caminho: ela me fez aceitar meu consumismo, me contentar com ele. Era como se ele fosse uma parte inerente de mim, um gene que tinha vindo de fábrica e permaneceria comigo por toda a vida. Que é que eu poderia fazer? Eu era assim mesmo, meio doida. E tudo bem, né? Ser consumista é de boa. Carrie é a prova viva de que comprar sem pensar no amanhã é normal, engraçadinho, excêntrico e, por que não, adorável.

No fim do episódio em que Carrie está prestes a perder seu apartamento, ela é salva por um milagre: uma amiga lhe oferece um empréstimo, desses que não precisa pagar de volta tão cedo. Carrie agradece e lhe assegura que vai, sim, pagá-la de volta, mas que vai demorar, mesmo. Elas celebram e a vida então segue como antes, regada a drinques em restaurantes caros e vestidos que custam o preço de um aluguel. Já eu seguia sem casa própria, sem um real na poupança e me perguntando se não valia a pena investir em amigas mais ricas e generosas. Mas aí lembrei que as coisas são bem mais fáceis para Carrie simplesmente porque ela não existe. Carrie é uma casca vazia que morre assim que aperto o botão do controle remoto. E foi exatamente isto que decidi fazer: desligar a TV.

A tela preta me trouxe uma sensação de alívio. Como se eu tivesse enfim reunido forças para dar aquele basta num relacionamento que me fazia mal. Carrie, Vogue, Capricho, meus fantasmas consumistas do passado precisavam parar de me assombrar.

Chega de Carrie por hoje. Chega de Carrie.

* * *

Ok, só mais um pouquinho de Carrie antes que a gente siga cada uma o seu caminho.

Estávamos na reta final da semana temática *Sex and the City*, e, por mais que eu e Carrie estivéssemos prontas para dar um tempo na nossa relação, o público clamava por um final digno para a semana. E, agora que eu tinha um público que ia além do meu pai, da minha mãe, do Felipe e do Dani, sentia que precisava dar ao povo o que o povo queria. E o povo queria Carrie.

"Jojo... ameeeei o tema dessa semana e estou doida pra que chegue logo o dia da Carrie."

"Essa semana tá o máximo! Mal posso esperar pela ousadia do look da Carrie. Ai, ai, ai, Jojo, não vai me aparecer com um lookzinho básico, hein??"

"QUEREMOS CARRIE, QUEREMOS CARRIE!!!"

E foi assim que, mesmo depois de enxergar a Matrix por trás de *Sex and the City*, eu deixei os meus ressentimentos de lado e reuni forças para montar não um, mas dois looks inspirados em Carrie Bradshaw.

Não foi difícil. Àquela altura do campeonato, eu já tinha decodificado o jeito Patricia Field de pensar looks. No caso da Carrie, a receita era simples:

1. Combinar duas coisas que aparentemente não fazem o menor sentido juntas.
2. Parar na frente do espelho e observar o conjunto da obra para ver se o estranhamento inicial passa e você começa a achar o combo interessante.
3. Repetir o processo até chegar a um resultado satisfatório.

A receita rendeu dois looks absolutamente improváveis e lindamente singulares. No primeiro dia, desencavei a saia que tinha usado no casamento da minha irmã e combinei com um moletom de paetês vintage que nunca tinha visto a luz do dia porque era reservado para eventos noturnos. A delicadeza da saia de seda rosa-bebê e o brilho pesado do moletom de paetês criaram um contraste interessante. Mas ainda não estava diferentão o suficiente para configurar um look Carrie. Estava tudo muito chique, muito arrumadinho, bonito porém meio previsível. Faltava alguma coisa meio nada a ver ali no meio, alguma coisa com menos cara de festa e mais cara de ida ao supermercado, sabe? Pensei num tênis bem velho, mas acho que nunca vi Carrie de tênis nem para malhar. Foi aí que avistei, pendurado num gancho na porta do armário, um cachecol enorme, desses com uma trama bem grossa, com aquela lã quase crua num tom *off-white*, tipo cor de ovelha mesmo. Era tão grande que dava para dar pelo menos três voltas no pescoço e ainda sobrava um bom pedaço solto por cima do look.

Agora, sim. O cachecol pesadão trouxe mais uma textura para o look e o tirou daquele lugar óbvio de roupa chique, de festa. Ainda assim, quando deixei o quarto pronta para sair e dei de cara com o Felipe comendo seu misto-quente na cozinha, ouvi:

— Nooossa, vai pra onde assim?

— Pro trabalho, ué! Tá muito *over*? — Ri um riso nervoso.

— Tá, mas imagino que a ideia seja essa mesmo. — E voltou a mastigar enquanto olhava alguma coisa no celular.

Eu não tinha parado para pensar dessa forma, mas, sim, a ideia era essa. Carrie pode não ter sido a melhor das influências, mas a semana de maratona *SATC* rendeu lições de estilo que eu nunca vou esquecer. A primeira delas é que roupa bonita não precisa de ocasião especial para ser usada. Se uma roupa faz você se sentir maravilhosa, por que deixá-la mofando dentro do armário esperando por um evento que pode ser que nunca chegue? Fora que roupa chique é cara, né? Daí você gasta um dinheirão num vestido de festa e só usa ele uma vez na vida e outra na morte? Essa conta aí não fecha. Roupa bonita é para ser usada ontem, hoje e amanhã. Para ir a um casamento ou à padaria. E foi sobre isso que resolvi escrever.

DIA 71

Estamos na reta final da nossa semana *Sex and the City*, e já posso dizer que ela foi cheia de aprendizados. Hoje, me vestindo de Carrie, enfim cheguei à conclusão de que o melhor jeito de fazer o nosso armário render é tirando as roupas das caixinhas nas quais alguém um dia as colocou. "Roupa de festa", "roupa de trabalho", "roupa de fim de semana" – é tudo uma armadilha que acaba limitando o potencial infinito do nosso guarda-roupa, impedindo a gente de combinar as coisas livremente e explorar a nossa criatividade (e o nosso acervo) ao máximo.

A lição que Carrie nos dá é clara: paetê no trabalho? Por que não? Lurex de dia? Por que não? Tudo você pode no look que te fortalece.

Então cá estou eu usando este espaço para ecoar o pleito de Carrie: vamos normalizar os paetês à luz do dia. Vamos botar essas roupas de festa para trabalhar, até porque, convenhamos, elas custaram caro demais para serem usadas uma vez a cada aparição do cometa Halley.

Bora catar esses brilhos e misturar com o tênis surrado, com a camiseta básica, e desfilar pela cidade nos sentindo as divas que de fato somos. A moda já deu até nome para isso, meu bem. Se chama *high-low*, ou — em bom português — alto e baixo, caro e barato, chique e despojado, esses opostos que ficam muito mais interessantes juntos. Então esquece as regras, abraça o *high-low* e vamos ser felizes.

No dia seguinte, ainda inebriada pela recente descoberta de que as minhas roupas de festa não eram vampiras e podiam circular livremente de dia sem que pegassem fogo ao primeiro contato com os raios de sol, resolvi ir ainda mais longe. Afinal, era o último dia da semana temática e eu queria fechar com chave de ouro.

O look já vinha sendo arquitetado na minha cabeça desde o início da semana, mas era a primeira vez que eu ia colocar tudo no corpo e ver se o quebra-cabeça se encaixava de fato. Comecei pelo vestido longo de lurex listrado em preto e dourado. Se um dia caísse no meu colo um convite para a cerimônia do Oscar, era com ele que eu ia dar pinta no tapete vermelho. Esse é o nível de chiquê do bendito.

Mas aquele não era dia de Oscar. Era dia de pegar ônibus, e a coisa mais chique despontando no meu horizonte era trocar o quilão pelo restaurante português atrás da agência na hora do almoço. Então lá fui eu tirar a "festa" do vestido de festa. Bastou uma social branca, daquelas bem corporativas, por cima para transformar o vestido em saia e levar o look imediatamente para uma vibe mais de trabalho. Aí foi só arrematar com um cinto e, como estava meio frio, jogar um blazer preto curtinho por cima de tudo.

A inspiração para esse look tinha vindo direto das primeiras cenas de *Sex and the City, o filme*, quando Carrie vai de smoking ao casamento de Stanford, seu melhor amigo. E a minha empolgação foi tanta em fazer o link direto com o look que até frisar o cabelo eu frisei, e ainda taquei um casquete na cabeça para finalizar.

Eu não vou dizer que esse look ficou lindo. Acho que esse não seria o melhor adjetivo para descrevê-lo. Mas feio também não seria a palavra certa. Inusitado ou interessante funcionam melhor. Estranho, até, mas um estranho bom, desses que fazem você querer ficar olhando para entender melhor. E foi assim mesmo que resolvi encarar os olhares que recebi na rua quando saí de casa a pé às oito e meia da manhã para ir trabalhar. De lurex, salto alto e plumas na cabeça. Pode olhar, moça, legal, né?

A estranheza rendeu. Quando cheguei no trabalho, pouco mais de uma hora depois de postar o look no blog, mais de cem mensagens já lotavam a minha caixa de e-mail com opiniões divididas. O look era de fato controverso, e uns "nossa, que horror" já eram de se esperar. Mas tinha um sentimento que unia todos os comentários.

"Você foi trabalhar assim? Nossa, que coragem!"

"Eu amei! Ficou lindo, mas eu não teria coragem."

"Que corajosa! Só imagino os olhares na rua."

Fiquei digerindo as palavras.

Coragem sempre me pareceu um sentimento reservado para coisas mais sérias, do tipo salvar alguém de um prédio em chamas, ou enfrentar uma doença grave de cabeça erguida, ou dizer eu te amo sem a certeza de que a recíproca é verdadeira. Mas aí lembrei como tinha começado a semana, como havia me sentido exposta com aquela canga na cabeça, e entendi que é preciso coragem para boa parte das coisas da vida, até se vestir pela manhã.

Cheguei à conclusão de que a maior lição que Carrie poderia me dar era mesmo esta: me importar menos com o que os outros pensam. Não me conformar com as regras que sei lá quem criou de que isso não combina com aquilo, ou de que isso pode ou isso não pode. Carrie me ensinou a ter coragem para experimentar, testar, inovar e, assim, ir encontrando uma voz que não é da Carrie, nem da Miranda, nem da Vogue, nem da vitrine da Zara. É só minha.

E foi assim que eu desempaquei. Desde esse dia, nunca mais impedi que os meus paetês brilhassem à luz do dia nem que os meus tênis adentrassem o ambiente de trabalho. Desde esse dia eu misturo estampas, uso chapéus, casquetes e lenços, uso galochas e me pinto de tantas cores quanto o meu armário for capaz de oferecer. Recebendo olhares diários na rua e pensando: elas queriam ter a minha coragem.

9

Oito reais com direito a bebida

Que rufem os tambores!

Depois de quatro meses de abstinência, sem comprar nem uma calcinha, finalmente eu estava no azul. Ou melhor, a minha conta bancária estava no azul. Ok, talvez não fosse a notícia que todos aguardavam, mas mesmo assim eu estava explodindo de orgulho.

Para contar essa história, preciso voltar lá para o dia um, aquele em que, às sete e meia da manhã, o telefone do meu pai tocou e eu enfim tomei coragem para falar a frase mais difícil que já saiu da minha boca:

— Pai, eu não tenho dinheiro.

E ele me respondeu:

— Como eu posso ajudar?

E eu contei:

— Preciso de ajuda para pagar as minhas dívidas.

Eu não tinha planejado pedir dinheiro a ele. A ideia era só contar meu plano de ficar sem comprar, ouvir um "Que bom filha, vai dar tudo certo" e sentir aquele quentinho no coração. Mas aí ele ofereceu ajuda, né?

A verdade era que eu precisava de dinheiro. A fonte do cheque especial tinha secado, e, se eu quisesse conseguir passar na catraca do ônibus para ir trabalhar, ia precisar de mais do que algumas palavras de conforto. Então assumi o risco e pedi.

— De quanto você precisa? — ele respondeu.

Eu não queria abusar. Mas também não queria ter que ligar de novo em um mês para pedir mais dinheiro. Essa era a minha única chance. Pedi o necessário para cobrir um terço do cheque especial. Não ia resolver a vida, mas já era um começo.

— Só pra conter os juros e me segurar até o salário entrar.

Ele ficou em silêncio um tempinho. Não devem ter sido nem dois segundos, mas pareceu uma eternidade. Eu estava quase falando para ele esquecer, que não precisava de nada não, que eu dava um jeito, mas ele falou primeiro:

— Vamos fazer o seguinte. Eu te empresto o dinheiro. Se, no fim do seu ano, você tiver conseguido juntar o dobro do que eu tô te emprestando, não precisa me pagar de volta.

— Ahn? — Fiquei meio sem reação. Só o meu nerd pai para querer gamificar o meu ano sem compras.

— Se você chegar no fim do ano com o dobro do que eu tô te emprestando guardado na poupança, não precisa me pagar. Mas se tiver um real a menos do que isso, daí eu vou querer o dinheiro de volta com juros. Temos um acordo?

E foi assim que outro desafio foi lançado dentro do desafio de ficar um ano sem comprar: o de não ter que pagar o meu pai de volta.

Ao desligar o telefone, eu já era outra pessoa. Naquele dia um, a galera toda do trabalho foi almoçar num desses restaurantes do Itaim que têm boteco no nome, mas de boteco não têm nada. Ambiente esnobe, clientela de banqueiros da Faria Lima, cerveja importada e prato feito a 32 reais. Isso em 2011.

— Você vem, Jo?

Em geral eu ia, mesmo dura, mesmo sem um tostão, só para aproveitar a companhia das pessoas e não almoçar sozinha. Vez ou outra, lá pelo fim do mês, quando o vale-refeição já estava zerado, o salário não tinha entrado ainda e eu andava particularmente preocupada com grana, eu negava. Mas a negativa sempre vinha acompanhada de alguma desculpa que nada tinha a ver com a minha dureza.

— Hoje não vai dar. Tô ferrada aqui. Vou ter que comer rapidinho e voltar.

Mas esse dia 1 da nova Jojo foi diferente. Eu já tinha começado o dia jogando um holofote no fundo do meu poço, o que é que eu tinha a perder?

— Vou não. Tô sem grana.

Rolou uma insistência.

— Ah! Jura? Mas vai todo mundo. Amanhã a gente vai no quilo juntos pra compensar.

— Tô de boa, realmente preciso juntar uma grana. Mas vai lá! Toma uma por mim!

Pelas minhas contas, o almoço deles deve ter custado pelo menos quarenta reais por cabeça. Eu gastei oito reais, com direito a bebida e dez por cento para o garçom. Passei a semana toda comendo no quilo. Na semana seguinte, descobri um italiano bem pequenininho que também era barato. Não tinha nem menu, só dois pratos do dia que eram declamados pelo dono no momento em que você se sentava à mesa.

Lá pela terceira semana, a agência inteira já estava ciente da minha saga financeira e o convite para o boteco de rico nem rolava mais. Mas passei a ter novas companhias para almoçar. Sempre aparecia alguém que também queria economizar. Primeiro foram os estagiários e assistentes, uma galera mais apertada de grana que vira e mexe se sentia obrigada a sair para almoçar com os chefes para ficar bem na fita. Mas agora tinha uma gerente, que ganhava mais que eles, falando que estava dura, então acho que eles se sentiram autorizados a assumir as suas durezas também. Durezas, aliás, muito mais genuínas do que a minha. Durezas que vinham de pouco dinheiro entrando na conta, ao invés de muito dinheiro saindo.

— Nossa, Jo, graças a Deus que você começou a puxar esse bonde de comer barato. Não aguentava mais esses almoços de trinta reais. Não gasto isso nem no bar com os meus amigos.

Daí os chefes começaram a se ligar e passaram a frequentar o quilo e o italianinho, que agora já tinha virado domínio público. O boteco chique, por sua vez, passou a ser a recompensa por uma semana de trabalho intenso ou alguma campanha aprovada, mas aí quem pagava a conta era a agência, e todo mundo ficava feliz.

Passei a economizar no fim de semana também, o que me deixou orgulhosa porque esse, a princípio, era um feito que me parecia impossível.

Meus fins de semana antes desse ano sem Zara se resumiam a gastar dinheiro, mas se engana quem pensa que eu ia me embrenhar em shopping em pleno sábado. Deus me livre. Quem gosta mesmo de fazer compras sabe que shopping no sábado é furada. Aquela lotação, as lojas desarrumadas, ninguém merece. Não, nos fins de semana eu gastava dinheiro com comida.

Eu gosto muito de comer. E São Paulo é um lugar que não perdoa o bolso de quem ama comida. Se tem uma coisa que a cidade tem em maior quantidade do que shopping é restaurante. E estou falando de restaurante bom, desses pelos quais o estômago da gente agarra paixão na primeira garfada.

Antes do Felipe entrar na minha vida, eu não tinha essa tara toda por restaurante. Na verdade ele me resgatou de uma vida de sódio em excesso em que Miojo com salsicha e manteiga era uma iguaria apreciada semanalmente. Mas ele é dessas pessoas que levam comida a sério e usam um belo prato como arma de conquista, sabe?

O homem cozinha bem. Gosta de ir ao mercado, comprar tudo fresco, chegar em casa, abrir uma garrafa de vinho, ligar o som e se embrenhar na cozinha. É uma coisa bonita de ver. Ele que me apresentou o tanto de culinária que este mundo tem a oferecer. Qualquer terça-feira sem graça é um bom dia para um *boeuf bourguignon*, um *pad thai*, um *dim sum* de frutos do mar.

Eu não sou das mais adeptas à barriga no fogão. Ele tentava me estimular, mas eu não tinha muita paciência para ficar horas naquela função. Ainda mais num dia de semana, ainda mais às dez da noite, quando eu e ele costumávamos estar em casa. De vez em quando eu ajudava no *mise en place* — o nome chique para o processo de deixar todos os ingredientes cortadinhos e separadinhos nas quantidades certas para a hora do vamos ver —, mas, via de regra, meu papel era dar moral e comer.

Eis que chegava o fim de semana e o chef caseiro queria descanso. Descanso e novas experiências gastronômicas. E lá íamos nós, aproveitar o que São Paulo tinha a nos oferecer.

Num fim de semana devagar, a conta fechava em dois restaurantes, um no sábado e outro no domingo. E não era só a gente, não, o que não faltava eram amigos igualmente esfomeados, entusiastas de uma boa mesa e, como diria Luisa Marilac, de uns bons drinques. E só isso já me causava rombos semanais na conta. Mas dava para ficar pior. Quando a galera estava animada, entravam nessa matemática mais uns dois restaurantes, ou talvez um café, uma padaria, ou ainda um desses barzinhos de drinques para um pós-jantar. Era falência certa na segunda-feira.

Porém nada disso me pertencia mais. A gente ainda saía para um restaurante ou outro de vez em quando. Mas essa rotina deixou de ser a regra e passou a ser exceção. E eu nem tive que sair por aí negando convites para os jantares de sexta-feira, nem para os almoços de sábado ou os *brunches* de domingo. Agora que a minha dureza era pública e notória, os convites tinham mudado.

Olhei para trás naqueles três meses e fiquei até emocionada em perceber quanto os meus amigos tinham se adaptado à minha nova realidade, ou, melhor dizendo, à minha real realidade, visto que aquela antiga não passava de pura invenção. Desde aquele primeiro dia, a gente inventou nossos próprios restaurantes, cada fim de semana na casa de um. O *brunch* de domingo na casa do Dani, por exemplo, já virou tradição e dá um banho de fartura em qualquer café ou padaria chique dos Jardins, com direito a pão de queijo quentinho, ovos poché e *pain au chocolat*, tudo regado a muitas mimosas, aquele drinque que mistura suco de laranja com espumante. Comer nunca foi tão gostoso quanto nessas manhãs que se transformavam em dias inteiros, brindando e enchendo a cara de pão enquanto a gente dançava Florence + The Machine na sala de casa.

A conta daquela nova rotina gastronômica naturalmente saía mais barata para todo mundo. O esquema era sempre o mesmo: o anfitrião se encarregava da comida e os convidados levavam a bebida. Assim, todo mundo tinha a liberdade de contribuir com aquilo que estava dentro do seu orçamento. Um dia a gente resolveu fazer uma feijoada lá em casa, basicamente porque feijoada é aquele combo perfeito de deliciosidade e preço baixo. Compramos na feira tudo que precisava, incluindo a panela grandona que a gente não tinha. O evento foi um sucesso. Fizemos uma feijoada para quinze pessoas com direito a muita carne de sol, couve frita no alho e laranja docinha. E saiu mais em conta do que um almoço só para nós dois num desses restaurantes a que a gente costumava ir na minha antiga encarnação. E ainda sobrou comida para enterrar os ossos no dia seguinte. Se isso não é a perfeita definição do ganha-ganha, eu não sei o que é.

Nunca imaginei que parar de comprar roupa fosse me fazer repensar todos os meus gastos. Mas o meu pavor de chegar ao fim daquele ano ainda no vermelho era tanto que era isso mesmo que estava acontecendo. Eu já era grande adepta do busão antes mesmo de resolver ficar sem comprar, mas agora ganhara o título oficial de rainha das caronas. Bastava engrenar num papo rápido com alguém num evento que já me sentia toda à vontade para perguntar onde a pessoa morava e se não dava para me deixar ali pelos Jardins. Táxi só em caso de última necessidade e, de preferência, rachado com o maior número de pessoas possível.

No fim do primeiro mês, consegui economizar novecentos reais, que serviram para amortizar mais um pedaço da minha dívida do cheque especial. Eu ainda não estava no azul, mas o vermelho da minha conta ia perdendo aquele tom escarlate de sangue e, gradualmente, virando um vermelho mais clarinho, meio azulado, quase um lilás.

Daí para a frente, aconteceu o que eu jamais poderia imaginar: virei uma dessas pessoas que checam o saldo da conta bancária *todos* os dias. Logo eu que preferia encarar o capeta de frente a ter que dar de cara com aqueles numerinhos malditos na tela do meu computador.

No segundo mês, eu estava obstinada a bater o recorde do mês anterior. Até resto de feijoada eu levei para o trabalho para almoçar e economizar aqueles oito reais do quilo. No mês todo só peguei dois táxis e, para onde dava para ir andando, eu ia para economizar o dinheiro do busão. Cumpri a meta, mas foi por pouco. Algumas compras parceladas no cartão de crédito, resquícios da minha vida prévia, ainda estavam batendo na conta e me impediam de alcançar o nível de economia desejado.

Aí veio maio, e confesso que relaxei um pouco. Eu já estava abrindo mão de muita coisa. Naquele ritmo, eu ia acabar presa dentro de casa vivendo à base de pão e água com medo de gastar dinheiro. Cheguei à conclusão de que, se a ideia era fazer o novo estilo de vida vingar, eu precisava encontrar um equilíbrio, e isso significava aprender a me controlar, sim, mas também a gastar com as coisas que me faziam bem de verdade.

Naquele mês voltei a me dar certos luxos, do tipo ir ao cinema e comprar pipoca e Coca-Cola antes da sessão, mesmo sabendo que cinemas são notoriamente o lugar mais caro do mundo para adquirir uma pipoca e um refrigerante. Todo mundo tem aqueles supérfluos que fazem a vida ficar um pouquinho mais colorida, e eu estava enfim aprendendo a achar a dose certa dos meus. Mas o fato era que eu estava gostando de não gastar. Ou melhor, estava viciada na sensação de ver o dinheiro entrar na minha conta e não evaporar imediatamente. E, mesmo com um combo de pipoca e Coca aqui e outro ali, cheguei ao fim do mês 1.150 reais mais próxima de sair do negativo.

No fim de maio eu estava quase lá. Ainda no vermelho, mas com o azul já despontando no horizonte. Quando o mês virou e o meu salário entrou, eu finalmente consegui sentir o gostinho de sair do cheque especial pela primeira vez. Uma parte do salário tinha coberto o saldo negativo, mas dois terços permaneciam intactos na conta. Sim, eu estava no azul pela primeira vez em nem sei quanto tempo.

Depois que paguei todas as contas, sobraram pouco mais de novecentos reais. Era a primeira vez em muitos anos que eu não ia ter que passar o mês vivendo do cheque especial. Tinha dinheiro na minha conta. Um dinheiro de verdade. Nada daquela coisa etérea de empréstimo, aquele dinheiro que só existe e está disponível para você porque vem de mãos dadas com uma taxa de juros safada. Daquela vez, não. Aquele dinheiro na minha conta existia. E era meu.

Mas chegar no azul era só o primeiro passo. A treta agora era permanecer no azul. Aí eram outros quinhentos, ou, no meu caso, novecentos. E eu ia ter que me virar com eles se não quisesse terminar o mês no vermelho de novo: novecentos reais para comer, me locomover, me divertir, viver. Catei papel e caneta e tentei fazer umas contas de quanto ia poder gastar com cada item. Mas a minha cabeça definitivamente não é de exatas. Depois de muito rabisco e pouca conclusão, decidi que a única coisa que eu podia fazer era seguir o caminho que me levara até lá: economizar em tudo o que dava e gastar com o que realmente importava. E foi o que eu fiz.

É até difícil de descrever o que eu senti quando o mês terminou e ainda havia dois reais na minha conta. Eu tinha passado um mês inteirinho no azul. Foram tantos anos no vermelho que eu tinha esquecido a sensação de ver o salário bater na conta e não se esvair imediatamente. Quando abri o site do banco naquele dia, meus olhos se encheram de lágrimas.

Dizem que leva 21 dias para mudar um hábito. Eu estava havia mais de cem dias sem comprar e havia um mês sem dever nada para ninguém. Restava saber se o hábito tinha vindo mesmo para ficar.

10

A todo instante tem alguma coisa acontecendo nas Galerias Lafayette

O telefone tocou.

— Oi, amiga — me disse a voz do Dani do outro lado da linha. — Eu e a Gabi estamos combinando de pegar um cinema hoje e depois sair pra jantar. Cê topa?

— Depende de onde vocês vão, amigo. Não quero gastar muito.

Agora que a minha dureza era pública, eu conseguia falar sobre ela com a naturalidade de quem comenta sobre o tempo.

— Não, não vai ser caro, não. Mas vai ser no shopping e eu só queria saber se você tá se sentindo preparada pra isso. Ou se você prefere outro lugar.

Eita. Não estava esperando por essa.

Fazia quatro meses que eu não pisava num shopping. Havia 120 dias que eu evitava a todo custo passar perto de uma vitrine. Parei de almoçar na praça de alimentação. Até comecei a fazer um caminho diferente para ir ao supermercado só para não passar pela rua de lojas perto da minha casa. Era mais longe? Era. Mas pelo menos eu evitava a tentação.

Ah, mas não era fácil, não. Às vezes batia uma saudade... Nem digo saudade de comprar, não. Era saudade do passeio mesmo, daquele dia de bobeira, só vendo coisas bonitas, entrando e saindo de loja, esquecendo os problemas da vida. E eu estava precisando muito disso mesmo.

O mês anterior não tinha sido fácil. Eu andava trabalhando como nunca, chegando na agência cedo e saindo tarde praticamente todo dia.

Os clientes estavam felizes, e clientes felizes trazem mais negócios para a agência. E mais negócios para a agência significa mais trabalho para todo mundo. Mas eu estava dando conta e o chefe, feliz comigo. Eu já conseguia até sentir o cheirinho de uma promoção logo ali virando a esquina, então dizia sim para tudo.

— Jo, chegou *job* novo, mas tamo meio sem prazo. Você consegue pegar?

— Opa, lógico. Pode mandar pra cá.

E lá ia eu rodar mais um pratinho.

Seria mais tranquilo se eu não tivesse todo um outro emprego paralelo chamado *Um ano sem Zara* do qual cuidar. O blog estava bombando de um jeito que era até difícil de entender. E, como diria o tio do Homem-Aranha, com grandes poderes vêm grandes responsabilidades. Eu tinha criado aquele negócio e agora precisava mantê-lo vivo. Isso significava montar look, fotografar, escrever, postar, responder aos comentários e e-mails que chegavam todos os dias, fizesse chuva ou sol. E ai de mim se eu não comparecesse...

"Cadê? Não vai ter post hoje? Tô aqui esperando desde as onze da manhã!"

"Jojo, por onde andas? Estamos preocupadas! Já viraste uma amiga para encontros diários, não nos deixe na mão!"

"Pô, Jojo! Tá faltando comprometimento, hein? Dois dias seguidos sem post? Assim não dá!"

"Ih! Acho que ela arregou, comprou alguma coisa e desistiu do blog."

Esses dois últimos comentários, particularmente carinhosos, se referiam a dois dias que passei sem postar porque tinha pegado uma gripe tão braba que fiquei 48 horas de cama.

Eu não estou reclamando, não. Depois de anos de caos e culpa, daquela sensação de que estava desperdiçando tempo e de que a minha vida não ia a lugar nenhum, enfim as coisas estavam andando, eu estava fazendo o que gosto, sendo reconhecida, botando a vida em ordem. Mas, se o trabalho estava decolando e o blog, voando alto, o meu relacionamento estava dando pane no motor.

Não teve uma grande briga, um grande acontecimento, mas a gente andava se desencontrando. Eu cada vez mais ocupada, trabalhando longas horas — para o trabalho e para mim —, tentando me provar, mas animada com tudo o que estava acontecendo. Ele, arquiteto já estabelecido, num outro momento da carreira, com horários superflexíveis e ressentido com a minha ausência.

Não me entenda mal, o Felipe me apoiava muito. Sem ele, o blog nem teria acontecido. Até outro dia, ele que tirava todas as minhas fotos. Quando teve que viajar a trabalho e eu precisei me virar sozinha por alguns dias, ele conseguiu um tripé e me ensinou a usar o timer da câmera para que o projeto não tivesse que parar enquanto estava fora. Ele comentava os looks, contava para todo mundo sobre o projeto e dava até ideias para semanas temáticas.

Mas, em alguns momentos, começou a rolar um descompasso. A gente tinha dez anos de diferença e isso nunca havia importado, mas andava cada dia mais evidente. Eu queria trabalhar mais, fazer mais, cavar mais oportunidades. Ele queria trabalhar menos, ter mais tempo para a gente, casar, ter filhos. Ninguém estava certo e ninguém estava errado. Aliás, estávamos os dois certos para nós mesmos e errados um para o outro.

"Você vai trabalhar até tarde hoje de novo?" passou a ser a pergunta que eu mais ouvia, sempre acompanhada daquele olhar de "não estou acreditando nisso".

Havia dias em que eu me compadecia e me sentia mal de não estar mais presente, de estar sem tempo para a gente. Mas eu sou ariana e, por mais que tente meditar e me manter calma, na maioria das vezes aquela pergunta era o suficiente para desencadear uma daquelas DRs que só acabavam no dia seguinte.

Acho que o meu ressentimento naquela coisa toda era que, ao longo da nossa história, as coisas nem sempre tinham sido daquele jeito. A gente estava junto havia quatro anos e eu já tinha perdido a conta de quantas vezes estivera do outro lado da mesa. Semanas inteiras em que ele estava tão envolvido num projeto que chegava em casa depois de eu já ter ido dormir e saía antes de eu acordar. Viagens a trabalho — que obviamente não me incluíam — se dedicando a algum projeto pessoal que era um sonho antigo e ele estava tirando do papel. E eu nunca reclamei. Pelo contrário. Achava incrível namorar um cara que tinha planos, projetos, ideias, um cara com ambição que sabia aonde queria chegar.

Agora ele já estava lá em cima, voando em altitude de cruzeiro, e eu ali, tentando decolar. Era a minha vez de correr atrás e chegar a algum lugar. E eu só queria que ele se sentasse na arquibancada um pouquinho para aplaudir o meu sucesso. Mas, até ali, os aplausos andavam raros e os "Você não tem mais tempo para mim", cada vez mais frequentes.

Ele reclamava, e, em vez daquilo me fazer querer passar mais tempo com ele, a vontade que me dava era de enfiar ainda mais a cabeça no trabalho. Ou encontrar refúgio nos meus amigos.

— Jo? — Era o Dani ainda na linha.

— Oi, amigo. Vamos nessa. Tô precisando sair de casa um pouco mesmo. E não dá para passar a vida sem ir no shopping. Uma hora ou outra isso ia ter que acontecer. Melhor que seja com vocês.

Duas horas depois, a Gabi e o Dani passaram de carro para me buscar.

* * *

— Amiga, a gente já pensou em tudo. Vamos parar naquele estacionamento que já dá de cara no restaurante, depois é só subir as escadas rolantes que a gente chega no cinema. E, quando acabar o filme, as lojas já vão estar fechadas. Vai ser tranquilíssimo e a gente vai se divertir, prometo.

Essa ideia do shopping como um lugar para se divertir me precede em alguns séculos, dois para ser mais precisa.

"*À tout instant, il se passe quelque chose aux Galeries Lafayette.*" Esse era o slogan das Galerias Lafayette, em Paris, lá em meados do século XIX. Traduzindo para o nosso português, é alguma coisa tipo: "A todo instante, tem alguma coisa acontecendo nas Galerias Lafayette". O slogan era uma resposta ao concorrente, o Bon Marché, que tinha inovado o modelo de centro de compras da época ao combinar variedade de produtos e preços baixos num só lugar.

Reza a lenda que, vendo seu público minguar, as Galerias Lafayette encomendaram uma pesquisa de mercado para entender o que andava atraindo tanta gente ao concorrente. E você aí achando que Ibope é coisa moderna. Pois a resposta do público foi clara: o Bon Marché tinha deixado de ser apenas um centro de compras e se tornado um lugar aonde as pessoas iam para quebrar a rotina, se distrair e se divertir.

Corta do século XIX diretamente para 1999, e o shopping virou *o* programa da minha adolescência. Eu lembro como se fosse ontem. A galera toda, com o uniforme branco e laranja da escola, sentada ao redor da mesona redonda no meio da praça de alimentação, debatendo questões existenciais complexas como passar ou não a batata frita no sorvete.

A gente era um bando de pirralho de quinze anos, mas ali todo mundo se sentia adultíssimo. Com todos os perigos que uma cidade grande poderia oferecer, aquele era um lugar considerado "seguro", onde pais e mães se sentiam confiantes em largar seus filhos soltos por algumas horas. E, claro, nada tem mais gosto de vida adulta do que liberdade.

O *point* era a praça de alimentação. Às vezes a gente nem estava comendo nada, mas sentava ali para bater papo. Rolava fofoca, paquera, rolava toda uma articulação para combinar quem ia sentar do lado de quem no cinema.

Nunca vou esquecer quando o shopping perto de casa inaugurou um rinque de patinação no gelo. Era verão em Salvador, trinta graus do lado de fora, e lá dentro o povo encasacado patinando sobre gelo. Ninguém nunca tinha patinado na vida, mas todo mundo foi. Entrávamos no rinque de mãos dadas com quem estivesse mais próximo para tentarmos nos equilibrar e depois passávamos os trinta minutos que nos eram permitidos lá dentro literalmente agarrados à proteção lateral como se estivéssemos à beira de um precipício, tamanho era o medo de um possível tombo.

A verdade é que o shopping foi palco de um monte de momentos deliciosos da minha adolescência, e boa parte deles não tinha nada a ver com compras. Mas, nesse caso, o palco é tão importante quanto o enredo da peça.

Já reparou que toda vez que a gente vive uma experiência muito feliz parece que o nosso cérebro resolve apertar o REC e começa a gravar todos os detalhes daqueles instantes que passam tão rápido? E daí, lá no futuro, quando você se depara com algum desses detalhes de novo — uma música, um cheiro, uma cor, um lugar —, aquilo parece que te arremessa imediatamente de volta para o passado, de volta para aquele momento que ficou lá atrás?

Ter construído essas memórias entre aqueles corredores com pé-direito alto e luz fluorescente me fez criar uma relação de afeto com a "entidade" shopping. As memórias que construí ali carimbaram o meu cérebro com sensações de alegria, de segurança, de pertencimento.

Comprar, mesmo, a gente comprava bem pouco. A carteira — de tecido e velcro, bem anos 90, com aquele plástico cheio de páginas para os muitos cartões de crédito — vivia praticamente vazia. O dinheiro que porventura era encontrado ali dava certinho para o lanche do McDonald's e, no máximo, o ingresso do cinema. Mas, mesmo sem levar nada para casa, a gente consumia moda.

Entre a casquinha de baunilha e a sessão de terror das três da tarde, a gente ia paquerar as vitrines. Mas pense num relacionamento platônico. De um lado, a frieza das manequins, tão rígidas e perfeitas, olhando para a gente de cima para baixo, materializando nossos sonhos fashion com um look diferente a cada visita. Do outro, eu e as minhas amigas da oitava série, as pirralhas de quinze anos e suas carteiras vazias.

A área que concentrava as lojas mais chiques do nosso shopping preferido se chamava Alameda das Grifes. Eu sei, o nome não dava para ser mais brega, mas a gente achava *o máximo* passear na Alameda das Grifes. Só andar ali, respirar aquele ar-condicionado um grauzinho mais gelado do que o resto do shopping já era o suficiente. A gente não comprava na Alameda das Grifes, mas, a cada passeio por ela, um novo tijolinho de desejo era cimentado dentro de cada uma de nós. De vez em nunca, rolava de juntar um dinheiro e conseguir comprar alguma coisinha numa liquidação. Aí era pura alegria, fogos de artifício de emoção.

Eu amo shoppings porque amo os momentos que vivi neles. Porque amo lembrar dessa Jojo magrela, com pés grandes e bochechas rosadas que andava de mãos dadas com as melhores amigas do mundo. Amo lembrar o gosto da casquinha de baunilha e a mão que encostava sorrateiramente na mão ao lado no escuro do cinema. E amo lembrar aquela sensação de comprar uma coisa que eu quis muito e, na minha cabeça, ia certamente mudar a minha vida para melhor.

O resultado é que, anos depois, ainda entro no shopping e me sinto em casa. E não precisa ser o meu shopping de estimação, não, pode ser qualquer um.

É que shopping virou uma espécie de franquia do McDonald's, todos mais ou menos iguais, com as mesmas lojas, obedecendo à mesma configuração louca que nos leva a ter que rodar um andar inteiro para conseguir achar um banheiro ou dar a volta ao mundo para ir de uma escada rolante a outra. Shopping traz aquela familiaridade, aquela sensação de que você chegou num lugar que conhece e que te conhece também.

Mas daquela vez foi tudo diferente.

— Chegamos! — a voz da Gabi me trouxe de volta do meu devaneio. — Preparada?

— Vamos logo antes que eu mude de ideia.

O plano original não deu certo. O estacionamento mais perto do restaurante estava lotado. Então tivemos que estacionar no G3, cuja saída dá de cara para um corredor cheio de lojas.

— Tudo bem, a gente anda rapidinho e vai direto pro restaurante sem olhar nada. — Gabi é dessas pessoas cuja cabeça já está três passos à frente das demais e que já saem resolvendo problemas antes mesmo deles surgirem.

Chegamos no restaurante, e de longe já dava para ver a razão pela qual o estacionamento estava cheio. Gabi e eu ficamos na porta, e Dani entrou para ver se dava para conseguir uma mesa. Cinco minutos depois, ele voltou com um daqueles aparelhinhos que apitam e vibram quando uma mesa é liberada.

— A moça falou pra gente dar uma volta porque aqui deve demorar uns quarenta minutos.

Quarenta minutos? O que eu ia fazer por quarenta minutos num shopping?

— Vamos naquela livraria nova que abriu? Ouvi dizer que é enorme e tem uma área com uns sofás. A gente pode esperar lá. — Gabi, novamente, já resolvendo tudo.

Livrarias não me provocam o mesmo efeito intoxicante que uma bela vitrine de roupas. Imagino até que, se a maior razão para o meu endividamento fossem livros, eu ia estar numa situação menos pior. Talvez tivesse investido em algum sobre educação financeira que me ajudasse a sair do buraco. Mas não era o caso. Minha tara era por moda e, como livros não são roupas, nem bolsas, nem sapatos, eles não estavam incluídos no ano sem compras. Livraria é, portanto, terreno seguro: mesmo se eu comprasse alguma coisa, não estaria quebrando nenhuma regra. Ótimo plano. O problema era que a livraria ficava no extremo oposto do shopping.

Começamos a peregrinação até lá. O Dani e a Gabi desataram a falar sem parar, como se as palavras fossem capazes de criar um escudo protetor que me impedisse de ver o que estava ao meu redor. Não adiantou. Eu vi tudo. Senti minhas pupilas dilatarem enquanto os olhos escaneavam cada vitrine e o som da voz dos dois se fundia ao burburinho indecifrável do shopping.

Tudo era lindo. Os manequins esguios fazendo poses esdrúxulas como aquelas dos editoriais de moda cheios de modelos entediadas, os pelos e tricôs e tweeds formando um mosaico de texturas invernais em cada look, os brincos e colares dourados refletindo as luzes fluorescentes, as bolsas e os sapatos posicionados com perfeição em cima de mobiliários altos como se fossem santos num altar, esperando para ser devidamente adorados.

Tínhamos conseguido andar uns cinquenta metros quando avistei uma vitrine que me fez parar nos trilhos. Era uma loja pequena, em que eu nunca tinha reparado antes. A vitrine era uma caixa escura, toda forrada de papel de parede vinho. No meio, só um manequim, vestido dos pés à cabeça com o look mais perfeito de inverno que eu já tinha visto em toda a minha vida. Uma saia xadrez na altura do joelho com um pulôver de gola alta rosa-choque e um casaco de pelos marrom. Uma combinação inusitada, mas tão perfeita que parecia óbvia.

Olhando para a vitrine, eu soltei um suspiro. Dani e Gabi se olharam em pânico.

— Minha deusa, que coisa mais linda! Vamos entrar só pra ver de perto? — perguntei sem me dar conta do perigo por trás da minha sugestão.

Foi o Dani que me segurou pelo braço e, num lampejo de genialidade, declarou:

— Amiga, essa saia não tem tudo a ver com aquela que você usou pra ir naquele show duas semanas atrás?

A conexão não tinha sido óbvia para mim, mas, agora que ele tinha mencionado, dava para enxergar certa equivalência. As cores eram diferentes, a da vitrine era de lã e com um padrão mais sóbrio, um xadrez pesado em preto e azul-marinho. A minha era de algodão, com um xadrez mais espaçado, em preto, branco e rosa. Mas, ainda assim, eram duas saias xadrez, de cintura alta e que acabavam abaixo dos joelhos. Não falei que meus amigos conheciam o meu armário melhor do que eu?

Gabi rapidamente captou a intenção por trás da comparação e, com um sorriso e um olhar sorrateiro para o Dani, emendou:

— Esse casaco também é bem no clima daquele seu colete de pelinhos, né? E, pro inverno de São Paulo, quem precisa de um casacão inteiro? Um colete quentinho com uma blusa de manga comprida já tá mais que suficiente, né?

— E esse pulôver aí você tem pelo menos três iguais, que eu sei. Pronto, seu look de amanhã já tá resolvido.

Percebi o que os dois estavam fazendo. Apontando as semelhanças entre o que estava na vitrine e o que eu tinha no meu armário. Me mostrando que eu não precisava de nada daquilo e me lembrando, indiretamente, que o meu compromisso com o ano sem compras não merecia ser quebrado por qualquer coisa.

Depois disso até desacelerei o passo, esqueci as vitrines e olhei para os lados, para os meus amigos. Eu estava ali porque queria estar com eles. O shopping era só o cenário, um pano de fundo. Ele não era o entretenimento, não era a atração principal.

— Eu e o Felipe estamos na merda. Mas eu não quero falar sobre isso agora, não, senão vou ficar triste. Hoje eu só quero me divertir.

E foi isso que a gente fez. Andamos até a livraria de mãos dadas, como eu fazia naqueles tempos remotos, fofocando, rindo, fazendo planos de dominação global. Folheamos mais livros do que éramos capazes de ler, deitamos no sofá da livraria que era feito para sentar e rimos alto quando todos ao redor estavam em silêncio, até que o aparelhinho tocou e fizemos o caminho de volta para o restaurante. Dessa vez, nem reparei nas vitrines. Eu tinha tudo o que precisava: roupas no armário que me serviam e amigos capazes de me resgatar de qualquer fundo do poço.

Jantamos e assistimos ao filme com direito a pipoca e Coca-Cola tamanho família, afinal, é isso mesmo que a gente é.

Na segunda-feira, pela primeira vez em quatro meses, tomei coragem e fui sozinha almoçar na praça de alimentação. Consegui entrar e sair do shopping sem comprar nada a não ser o Cheddar com batata frita e Coca-Cola.

A verdade era que o ano sem compras tinha ganhado novas proporções. Ele não tinha mais a ver só com pagar dívidas. Para que fizesse sentido e tivesse efeito a longo prazo, eu precisava ressignificar a minha relação com o consumo, senão, mais dia, menos dia eu ia cair no mesmo buraco de novo. E ressignificar o consumo passava por ressignificar o shopping. Eu estava dando o primeiro passo nessa direção.

O shopping ainda estava longe de ser um lugar que me deixava indiferente, mas ele já não era mais a minha casa.

11

Não é que eu viaje pra comprar, mas já que estou viajando...

Depois do episódio do shopping, achei que o pior já tinha ficado para trás, que eu já tinha superado o maior desafio que aquele ano poderia lançar na minha direção. Coitadinha de mim. Mal sabia o que me aguardava.

Era um dia como todos os outros, quando o meu chefe parou na minha mesa com um sorriso maroto que eu já conhecia bem.

— Fala, chefe, qual o *job* que você tem aí pra mim hoje?

— Não é exatamente um *job*. — Sorriso maroto ainda mais largo. — Eu queria que você se inscrevesse pra competir no Young Lions, o festival de jovens talentos de Cannes.

Cannes, nesse caso, se refere ao Festival Internacional de Criatividade, a maior premiação do mercado publicitário mundial, que acontece todo ano em Cannes, na Riviera Francesa.

A minha primeira reação foi um misto de orgulho e espanto:

— Jovem? — respondi, com uma gargalhada. — Eu sei que a minha cútis não entrega, mas eu estou batendo na casa dos trinta.

— Deixa de ser besta. O limite de idade é 27 anos e eu acho que a sua última campanha tem tudo pra te classificar. Acabei de te mandar um e-mail com as regras e o prazo pra entrega da inscrição.

Se engana quem pensa que se inscrever era coisa rápida, um desses formulários em que você bota seu nome, e-mail, o nome da campanha e aperta confirmar. Não, meu bem. Tem que fazer uma apresentação com *tudo* sobre a campanha, de onde ela veio, para onde ela foi, o que ela conquistou e, o mais importante, o que você agregou nesse processo todo. Tem que fazer o upload de todas as peças da campanha, incluindo filme, material impresso, spots de rádio, banners digitais e tudo mais que tiver rolado, o que envolve passar dias caçando pelo menos dez pessoas diferentes da agência para encontrar cada um desses pedaços. Por fim, tem que escrever uma carta para o painel de jurados explicando por que você merece ganhar ou, em outras palavras, uma carta se gabando.

Que ótimo. Agora, além de tudo o que eu estava fazendo, tinha que arrumar tempo para fazer a inscrição em um negócio que claramente não ia ganhar.

Eu nunca ganhei nada. Nem rifa da escola. E essa competição de Cannes é *muito* difícil de entrar. Primeiro porque oitenta por cento do mercado publicitário tem menos de 27 anos, então você está competindo com praticamente todo mundo. Segundo porque o prêmio é muito bom: quem se classifica na etapa do Brasil ganha uma viagem para Cannes, no sul da França, com tudo pago, para competir com as equipes dos outros países. Ou seja: todo mundo quer muito ganhar.

O prazo era curto: uma semana. E eu tratei de começar logo a caçar todos os pedaços do quebra-cabeça e escrever as coisas que precisavam ser escritas.

A galera que se inscreve para essas competições em geral leva as inscrições muito a sério e passa meses se preparando. Eu estava entrando tarde no jogo, então me dei ao luxo de fazer as coisas do meu jeito. Eu não sei falar bem de mim, então fingi que era tudo uma grande piada. A apresentação continha um monte de metáforas semitoscas para explicar a campanha. A carta tinha um tom exageradamente metido a besta que dava a volta e ficava engraçado.

— Arriscado, né? — me disse o chefe quando mandei para ele ler o primeiro rascunho. — Gostei. Manda bala.

Uma semana depois, rolou uma festinha para anunciar os vencedores. Eu nem fui. Tinha muito trabalho para fazer e preferia adiantar minha vida a perder tempo atravessando a cidade para ir a um evento e descobrir que não tinha ganhado nada.

Acordei no dia seguinte e fui direto ao banheiro. Fiz meu xixi matinal, lavei as mãos, joguei uma água fria no rosto, coloquei pasta na escova e, enquanto escovava os dentes com uma mão, a outra abria o celular. Olhei os e-mails, as mensagens, e entrei no site do prêmio para ver quem tinha sido classificado.

Assim que a página carregou, dei um berro tão alto que o Felipe entrou correndo no banheiro achando que eu estava tendo um piripaque. Meu nome era simplesmente o primeiro da lista de 24 nomes, os 24 Young Lions que iriam representar o Brasil, cada um na sua categoria.

Duas semanas depois, eu embarcava para Cannes.

Aqui acho que vale uma pausa para eu explicar uma coisa: não tem nada que desperte mais a minha sede de compras do que uma viagem. Antes mesmo de viajar, eu já costumava estar gastando dinheiro. Sim, fazer minha mala sempre envolvia comprar coisas novas para colocar dentro dela, garantindo assim roupinhas dignas de serem eternizadas no álbum de fotos.

E aí, claro, tem a viagem em si. Eu sou dessas que levam uma mala dentro da outra para poder garantir que vai ter espaço suficiente para abrigar toda a bagagem extra que sem dúvida será adquirida no curso da viagem. Sou dessas que tiram dias inteiros para "bater perna" em loja, literalmente caçando o que comprar. E comigo não tem esse negócio de "ah, tal lugar não tem turismo de compras". Eu posso estar no meio do deserto que vou arrumar o que comprar.

Veja, não é que eu viaje para comprar, mas já que eu estou viajando... melhor aproveitar, né? Viajar tem essa coisa de apresentar uma oportunidade única de comprar alguma coisa. Não tem compra planejada em viagem. Tudo é meio no impulso, no aqui, agora. Não tem "ah, gostei, vou dar uma pensada e volto outro dia". Vai saber quando você vai voltar? Talvez nunca. Então tem que aproveitar.

Mas dessa vez tudo ia ser diferente. Eu era uma nova mulher. Uma mulher que não comprava nem um alfinete havia mais de 150 dias. Uma mulher que era capaz de frequentar a praça de alimentação do seu shopping preferido e não ceder às tentações das vitrines.

A mudança ficou clara ainda na semana pré-embarque. Dois dias antes da viagem, tirei uma noite para fazer compras dentro do meu próprio armário. Abri uma garrafa de vinho, botei uma música para tocar e comecei o processo de fuçar no guarda-roupa, tirar um monte de coisa de dentro e jogar em cima da cama para um exercício de análise combinatória.

Eu nunca tinha ido a Cannes, então, antes de jogar qualquer roupa dentro da mala, abri o computador e pesquisei a previsão do tempo para os dias em que estaria por lá. De acordo com o site de meteorologia, seria uma semana quente, média de trinta graus, sol, sem chance de chuva. O ideal, então, era que tudo na mala fosse leve, fresco, praiano. Por outro lado, eu não estava viajando para fazer turismo, tampouco para ficar sentada tomando sol nas areias brancas do Mediterrâneo (ou pelo menos não na maior parte do tempo). Eu estava indo para trabalhar, assistir a palestras, fazer networking, ir às premiações. Então também não dava para ficar desfilando de biquíni e saída de praia para cima e para baixo.

A meta era montar um look para cada dia da viagem e mais uns dois ou três mais chiquezinhos para potenciais eventos à noite. Mas, para não acabar levando itens demais, o melhor seria se todas as coisas da mala mais ou menos conversassem entre si, permitindo, assim, criar novos looks durante a viagem caso fosse necessário.

Comecei estabelecendo uma paleta de cores para a mala: azul, branco e cinza. Assim, eu já fazia um primeiro filtro nas possibilidades oferecidas pelo armário e ainda garantiria que as peças escolhidas minimamente harmonizassem umas com as outras. E aí fui escolhendo as peças. Montei até uma lista para não me perder:

Partes de baixo:

- Uma bermuda branca de linho.
- Um short azul-marinho.
- Uma saia bem fluida na altura do joelho.

Partes de cima:

- Uma regatinha cinza.
- Uma camisa jeans levinha.

- Duas camisetas listradas, uma mais largona e outra justinha.

- Uma camiseta básica branca.

Peças inteiras:

- Um vestido mais curto azul-marinho de algodão.

- Um vestidão longo *off-white*.

- Um vestido tipo chemise listrado que dava para usar como vestido, camisa ou jogado por cima de uma camiseta como terceira peça.

- Um vestido de seda curtinho.

Tudo tinha uma pegada meio Coco Chanel, um estilo *navy* bem francês, casual e charmoso. E, como tudo era mais ou menos do mesmo estilo e dentro da mesma paleta de cores, todas as peças realmente combinavam entre si, o que me permitiria acordar pela manhã e juntar qualquer parte de baixo com qualquer parte de cima e ainda assim estar apresentável. Não é magia, é inteligência e planejamento com foco na multiplicação de looks.

Roupas escolhidas, passei para os acessórios. A meta era viajar só com uma malinha de mão e uma mochila. E bolsa e sapato são sabidamente coisas que ocupam muito espaço na mala, então tratei de escolher direitinho para levar o mínimo possível. A lista incluía:

- Uma bolsa de couro pequena azul, dessas que dá para ajustar o tamanho da alça.

- Uma sapatilha dourada.

- Uma sapatilha azul.

- Um par de Havaianas brancas.

- Meu All Star velho de guerra.

- Dois cintos: um de couro amarelo, outro de elástico azul.

E eis a minha primeira mala de viagem montada apenas com peças que já habitavam o meu armário. Confesso que, mesmo com toda essa ciência aplicada à montagem da mala, eu não estava cem por cento segura. A ausência de qualquer look novo me fez pensar que talvez o que eu estava levando não fosse estar à altura da importância da viagem. Pensei no dia da competição: será que eu não ia mandar melhor se estivesse a bordo de um look novinho, pensado exclusivamente para a ocasião? E se eu, por um milagre divino, ficasse em primeiro lugar, será que uma roupa velha seria digna o suficiente para receber a medalha? Por fim, se, quando eu chegasse lá, nada do que eu estava levando na mala funcionasse, o que é que eu ia fazer? Se todo mundo estivesse superchique, eu ia ter que ficar passando vergonha de shortinho e camiseta sem poder entrar numa loja sequer para resolver o problema?

Até o Google Imagens eu consultei para ter uma ideia de como o povo se vestia no evento e ver se a minha mala estava minimamente adequada. E estava. Então tratei de engolir o nervoso e não pensar mais no assunto.

No dia da viagem, dei um beijo no Felipe na porta de casa e entrei no táxi cheia de orgulho. Se eu tinha chegado até ali, tentação internacional nenhuma seria capaz de me desvirtuar do caminho do bem.

Minha certeza durou exatamente o tempo de chegar no aeroporto, fazer o check-in, passar pela segurança e aterrissar na sala de embarque, onde enfim conheci os 23 homens que compunham, junto comigo, a delegação de jovens talentos de Cannes. Eu sei, 2011 e, numa delegação de 24 pessoas, só uma mulher. Equidade de gênero mandou lembranças.

Ainda assim, confesso que dar de cara com esses vinte e três moços jovens, inteligentes e cheios de sorrisos embarcando comigo rumo à França não me pareceu o pior dos mundos. Talvez evitar a Zara fosse acabar sendo o menor dos meus problemas.

* * *

Cannes é deslumbrante. Parece um cenário de filme daqueles em que todos os personagens são ricos. Os prédios em diferentes tons de bege, a areia branca da praia, os iates parados na marina, as mesinhas de madeira na calçada dos restaurantes.

Fiquei imaginando como devia ser estar lá de férias, tomando um vinho branco de frente para o mar, aquela sensação de paz absoluta. Mas a verdade era que eu nunca estivera tão exausta.

Eu não tinha nenhuma ilusão de que ia conseguir descansar naquela semana em Cannes, mas não imaginava que ia ser tudo tão intenso. Nunca os dias foram tão longos nem as noites, tão vivas. Se consegui dormir alguma noite por quatro horas seguidas, foi muito.

O hotel não ajudava. Era um daqueles de rede, onde tudo é pensado para ser o mais barato possível. O quarto era mínimo, um caixote vazio com um beliche apertado e uma janela que dava de cara para outro prédio. Cada quarto acomodava duas pessoas da delegação, mas não podiam misturar mulheres e homens no mesmo quarto. Como eu era a única mulher na minha delegação, me juntaram com uma menina que tinha ganhado um prêmio como estudante. Ela havia chegado um dia antes de mim e tratado de tomar posse da cama de cima do beliche. Para completar, o quarto não tinha ar-condicionado, e a parede da cama virada para o sol poente parecia emanar calor durante a noite toda. A gente abria a janela, mas não entrava um sopro de vento.

Mas não eram só o calor, o desconforto e o ranger da cama de cima toda vez que a minha colega de beliche se mexia que me impediam de me entregar ao sono. Eu provavelmente não seria capaz de dormir nem num hotel cinco estrelas, deitada em lençóis de algodão egípcio, ouvindo mantras de meditação. É que dentro de mim estava rolando Carnaval, rave, micareta. Minha cabeça não parava, estava tudo pulsando, fazendo um barulho enorme.

Cannes era o sonho de todo publicitário em início de carreira. Desde o meu primeiro estágio eu ouvia as histórias das coisas que aconteciam por lá durante aquela semana de sol e calor no meio do verão europeu. As palestras de gente que você nunca nem ousou sonhar em ver ao vivo, o burburinho dos corredores do Palais des Festivals (nome chique dado ao centro de convenções de Cannes), as festas badaladas à beira-mar, o fim de noite tomando cerveja no Martinez.

Eu não imaginava viver tudo isso tão cedo. E não sabia se ia viver tudo isso de novo algum dia. Podia ser que levasse anos até eu conseguir voltar para onde estava, e ainda assim não seria mais a mesma coisa. Aquele siricutico que eu sentia dentro de mim, o deslumbramento de viver as coisas pela primeira vez, isso tudo teria ido embora. Então eu não queria perder nada, queria viver tudo, e, nesse contexto, dormir me parecia uma enorme perda de tempo.

Os dias por ali seguiam um certo ritmo. Eu acordava às oito, me vestia, pegava um croissant e um suco de laranja no café ao lado do hotel e andava quinze minutos até o Palais des Festivals.

A passagem e o hotel eram 0800, mas todos os outros custos da viagem saíam do meu bolso, então eu tratava de manter hábitos frugais. Até porque o preço do euro não estava exatamente convidativo. Isso queria dizer que:

1. O único meio de transporte que eu utilizava eram as minhas próprias pernas. Sorte que a cidade é pequena.
2. A minha alimentação era basicamente composta de croissant, pão de chocolate ou crepe, todos comprados em cafés locais desses que não têm nem lugar onde sentar. Você pega, paga e segue seu caminho.

Com meu carboidrato matinal a caminho do estômago, crachá no pescoço e a programação de palestras em mãos, eu passava a manhã pulando de um auditório para o outro.

Na hora do almoço me juntava a alguns dos meninos da delegação e a gente saía para respirar um pouco de ar puro, pegar um crepe e comer rapidinho sentados na mureta que divide o calçadão da areia da praia. Meia hora depois, seguíamos de volta para o centro de convenções para mais uma tarde de salas escuras e ar-condicionado.

Às cinco da tarde acabava a programação oficial, e o formigueiro ao redor do Palais começava a dispersar. O sol ainda estava alto, e a gente seguia para a praia, colocava o pé na areia, dava um mergulho, jogava conversa fora. A água lá é fria. Eu colocava os pés, mas gostava mesmo era de ficar olhando o mar, ouvindo os caras falarem do dia, gargalhar quando um deles contava alguma piada, mas sem tirar os olhos do mar. Naqueles dias intensos, essa era a única hora em que o tempo parecia parar.

Os meninos eram todos ótimos, e a gente se deu bem logo de cara. A maior parte deles não se conhecia antes da viagem, e o fato de estarmos todos lá pela primeira vez, compartilhando aquela experiência, criou um elo quase instantâneo entre nós, uma intimidade que as pessoas só costumam conquistar depois de anos de convivência. Andávamos juntos para todos os lados, ora em grupos menores, ora todos os 24, e era fácil perceber os olhares curiosos das pessoas na rua tentando entender o que fazia aquele povo todo junto.

A hora para voltar ao hotel era ditada pelo pôr do sol. Assim que ele se escondia atrás do horizonte a gente começava a caminhada de volta, praticamente só subida, culminando num ladeirão nos últimos quinhentos metros. Mas ninguém reclamava. Subíamos todos quase de ré, ainda hipnotizados pelo horizonte rosa que ficava lá atrás, na beira do mar.

Entre entrar no hotel e sair de novo, eu não levava nem uma hora. Largava as coisas na cama, tomava um banho, colocava um dos vestidos mais arrumadinhos, corretivo, blush e rímel na cara e saía sem secar o cabelo. Só a ideia de ligar um secador quente na minha cabeça já me fazia suar. E lá íamos nós de novo para o terceiro turno do dia.

A noite em Cannes era agitada. As marcas e os grandes grupos de mídia patrocinavam festas cinematográficas: pé na areia, vista para o Mediterrâneo, champanhe à vontade e bandas que a gente costuma pagar fortunas para ir ver em estádios lotados.

A gente não era convidado para nada disso, claro. As festas eram reservadas para os executivos, donos de agência, o pessoal que toma as decisões e tem o talão de cheques na mão para sair gastando. A gente estava bem longe disso.

Mesmo assim, não tinha um evento em que pelo menos metade da delegação não estivesse presente. Viramos, naqueles poucos dias, mestres na arte de penetrar nas festas mais badaladas de Cannes. Já na primeira noite, quase tive um enfarto quando o Friendly Fires, banda que eu *amo*, começou a tocar na festa em que a gente tinha conseguido entrar de penetra. Corri para a frente do palco e cheguei tão perto que conseguia sentir as gotículas de suor do Ed Mac caindo em mim toda vez que ele jogava o cabelo para a frente.

As festas acabavam lá pela meia-noite, quando a noite ainda estava longe de acabar. E se, àquela altura do campeonato, eu tivesse me perdido de todo mundo, era só sair da festa e seguir até o Martinez, o único bar de Cannes que ficava aberto até de manhã. E lá, certamente, estariam todos os sobreviventes da noite, que, como eu, seguiam fortes até o corpo não aguentar mais.

Eu voltava para o quarto com o céu já mudando de cor, passando de preto para azul-marinho. Deitava no beliche duro, ao lado daquela parede quente, fechava os olhos e me entregava, tão exausta que seria capaz de dormir no inferno aconchegada no colo do capeta.

Os dias eram tão intensos que eu nem conseguia pensar em comprar nada. Nem a Zara que ficava na metade do caminho entre o hotel e o centro de convenções era capaz de me tentar. Eu passava na frente daquela vitrine pelo menos quatro vezes ao dia, olhava de rabo de olho as cores nas manequins, mas sempre seguia adiante.

De todas as viagens que já fiz na vida, aquela parecia ser a em que eu estava mais presente, mais mentalmente disponível para abraçar tudo, viver cada momento. Lembro aquela sensação que eu tinha toda vez que estava num lugar novo, aquela coceira de comprar, de passar horas vendo roupa, desperdiçando tempo enfurnada em lojas que eram iguaizinhas não importava o lugar do mundo em vez de me abrir para as experiências novas que aquele lugar podia me trazer. Parecia que as coisas que voltavam na mala valiam mais do que as memórias que eu traria comigo. A verdade era que os dias andavam tão intensos justamente porque eu não estava pensando em comprar nada. Não comprar me dava oportunidade de viver.

* * *

Segui nesse ritmo frenético até o dia da minha competição.

O coordenador da delegação do Brasil já tinha explicado como funcionaria o esquema. Num dia determinado pela organização da competição, eu tinha que comparecer ao auditório onde seriam comunicadas as instruções do nosso desafio, o famoso briefing. Depois eu teria uma tarde para trabalhar na minha proposta, escrever o documento impresso e montar a apresentação que precisava ser entregue ao comitê de organização até as seis da tarde. Na manhã seguinte eu teria quinze minutos para apresentar minha proposta aos jurados e responder a algumas perguntas. O mesmo valia para os representantes de todos os outros países participantes, as quase trinta pessoas que estavam competindo comigo.

Minha ideia inicial era ficar comportada e focada até o dia da competição. Assistir às palestras, comer bem, dormir cedo, não beber muito, fazer o que eu tinha que fazer, entregar o trabalho e passar o resto da semana vivendo a vida louca. Porém, os organizadores de Cannes não quiseram colaborar com o meu plano e marcaram a parte que me cabia da competição para o penúltimo dia da viagem. Ou seja: se eu não vivesse a vida louca antes da competição, eu não viveria a vida louca.

O resto você já sabe. Foram cinco dias de vida louca e de pouco sono. Até que a sexta-feira chegou e, com ela, um nível de exaustão que eu nunca tinha experimentado nos meus 27 anos de vida.

Acordei completamente desorientada e meio de ressaca, com o despertador gritando no meu ouvido. Eu só queria passar o dia todo deitada numa canga na praia, curando minha ressaca com um saco de croissants. Mas era o primeiro dia da competição, e eu precisava levantar. Tomei um banho gelado, coloquei meu vestido mais confortável, calcei meu All Star velho de guerra e saí. No caminho do Palais, além de dois croissants, passei no mercado mais próximo e abasteci minha bolsa com seis latas de energético.

Passei a tarde trancada no salão de competições, sentada na frente do computador, pensando, escrevendo e tentando não morrer de hipotermia com o ar-condicionado. Eu olhava ao redor e todo mundo parecia tão inteligente, tão compenetrado, tão descansado.

O briefing que os competidores tinham que resolver não era fácil. Envolvia criar um produto para uma marca de nossa escolha, cuja renda fosse revertida para uma ONG que defendia uma causa social

— também de nossa escolha. Tudo inventado, claro, hipotético. Parecia simples, mas tudo precisava estar conectado, fazer sentido, ser interessante — do tipo de produto, passando por nome e posicionamento, até a causa que ele ia representar. No meio da tarde minha cabeça doía de tanto pensar, meu corpo estava pronto para desistir de cansaço, mas eu queria muito mandar bem. Se estar em Cannes já era uma vitória, ganhar a competição ia ser uma virada na minha carreira. Então, segui. Tomei meus seis energéticos, organizei as ideias, escolhi o caminho pelo qual queria ir e ainda arrumei disposição para colocar tudo no papel, e em inglês.

Fui a última a sair da sala, do jeito que a minha mãe me ensinou: "Se eles te dão duas horas para fazer uma prova, é porque a prova precisa de duas horas para ser feita. Se acabar antes, aproveite o tempo que sobrou para fazer tudo de novo e ter certeza de que está tudo certo".

Saí do prédio e imediatamente senti a luz do sol me cegar. Tinha passado tanto tempo encarando a tela do computador que meus olhos demoraram para se ajustar ao brilho do mundo exterior. Os meninos estavam todos do lado de fora perguntando como tinha sido, se eu estava confiante. Eu não sabia nem responder. Eles me esperavam para a gente pegar a já sagrada praia do fim da tarde.

— Hoje eu vou para o hotel, galera. Amanhã tem apresentação cedo. Tenho que treinar e dormir. — E segui o meu caminho ladeira acima.

O quarto parecia mais quente do que nunca, talvez porque eu nunca tivesse estado nele àquela hora. Tomei um banho gelado, escovei os dentes e coloquei a camisa regata que andava usando para dormir. Deitei na cama com o roteiro da apresentação do dia seguinte nas mãos. Li e reli centenas de vezes, até que cada frase fosse carimbada no meu cérebro. Às oito da noite, larguei o papel ao lado da cama e tentei dormir.

Uma hora se passou, e eu seguia acordada por trás das pálpebras fechadas.

Duas horas, e ainda nem sinal de sono. O Carnaval dentro de mim parecia que não ia aquietar tão cedo; pelo contrário, estava mais para apoteose do que para Quarta-Feira de Cinzas. E eu estava com uma taquicardia que mais parecia uma bateria de escola de samba dentro do peito, mas certamente devia ser só o efeito do excesso de energético com o estômago vazio.

Passei mais uma hora tentando dormir. Até que, às onze da noite, desisti. Levantei da cama, botei uma roupa e saí andando pela rua. As pernas só pararam quando chegaram no Martinez.

Encontrei meia dúzia dos meus colegas de delegação por lá, todos animados depois de algumas cervejas. Contei do meu drama e que, em algumas horas, eu ia ter que apresentar a minha proposta para o painel de jurados. Eles se animaram, pediram que eu contasse o que ia falar. Resolvi aproveitar a plateia e ensaiei meu discurso. Mesmo levemente bêbados, eles aplaudiram, deram sugestões de coisas legais que eu podia falar.

— Isso aí vai pegar eles de jeito!

— Não vai ter pra ninguém amanhã, Jo!

Voltei para o hotel às quatro da manhã, quando a conversa já tinha acabado e o corpo não aguentava mais. Mas a taquicardia tinha parado e o Carnaval, dado uma trégua. Dormi.

* * *

No dia seguinte, nem precisei de energético. Acordei antes do despertador, com meu coração tocando bumbo dentro do peito.

Eu já tinha separado a roupa que ia usar na apresentação. Queria parecer profissional, mas também criativa, casual, porém sem tampouco descambar para o informal demais. Achei que a bermuda de linho branca entregava tudo isso. A peça era informal por natureza, mas o corte de alfaiataria e o tecido lhe conferiam certa nobreza. Combinei com uma camiseta listrada mais folgadinha, com mangas três-quartos, e finalizei com o cinto de couro amarelo servindo como um ponto de cor e tirando o look *navy* francês do óbvio. Criativo e charmoso.

Minha apresentação estava marcada para as 10h15. Às 9h45 eu estava lá, sentada no chão, na porta da sala. Um pão de chocolate numa das mãos e o meu roteiro na outra, decorando cada palavra, ensaiando minha pronúncia em inglês, incorporando as dicas que recebera dos meninos poucas horas antes.

Eu estava à beira de um ataque de pânico quando a porta da sala se abriu e ouvi uma voz chamar o meu nome.

— Joanna Moura, Brasil.

Meu coração quase parou. E depois voltou a bater ainda mais rápido. Eu estava exausta, nervosa, apavorada. Mesmo assim, entrei na sala com um sorriso no rosto. Larguei meus papéis numa cadeira e parei em frente à mesa do júri. Eram seis pessoas, quatro homens e duas mulheres, e eles retribuíram o meu sorriso.

A mulher sentada no centro me deu bom-dia, disse que eu teria dez minutos para a minha apresentação e depois eles teriam cinco minutos para me fazer perguntas. Me desejou boa sorte e disse que eu poderia começar quando estivesse pronta.

Alguma coisa me possuiu naquele momento. As palavras rolavam da minha boca sem que eu tivesse total consciência do que estava fazendo, como se alguém tivesse apertado PLAY numa gravação. Era a minha voz, mas não era eu.

Meu produto era uma coisa besta. Se eu contar, você não acredita. A ideia era tão simples que confesso ter ficado insegura até o último momento. Eu tinha criado uma sopa. Juro. Uma sopa pronta que vinha em três sabores diferentes (sim, a gente tinha que dar esse nível de detalhe).

A ideia da sopa veio na verdade de uma ONG que eu encontrei que se chamava Prato de Sopa e dava apoio a pessoas em situação de insegurança alimentar. Pronto, a minha sopa ia ajudar a Prato de Sopa.

Lembrei-me do meu chefe que, ainda no Brasil, tinha me dito:

— Abre a sua apresentação contando pros jurados uma coisa que eles não sabem. —Segui o conselho dele e comecei o meu discurso perguntando se eles já tinham ouvido falar em insegurança alimentar. Foi uma jogada arriscada. Se todo mundo soubesse exatamente o que era, o plano teria falhado. Mas vi suas cabecinhas balançando de um lado para o outro em negativo. Ponto para mim. Expliquei que insegurança alimentar é quando as pessoas não têm a certeza de que serão capazes de garantir alimentação adequada para si e sua família, é uma mãe ou um pai não saber se vai conseguir levar comida para casa, e que essa ainda é uma questão muito séria no Brasil.

Como deu certo, segui novamente os conselhos do chefe, que tinha me dito:

— Conclui cada raciocínio com uma frase marcante, alguma coisa que vai ficar registrada na cabeça deles.

Falei:

— Se há fome, não há progresso.

Só aí é que entrei no produto. Expliquei o que era, como era a embalagem, quais eram os sabores, onde e por quanto ia ser vendido.

— Agora termina lá no alto, pra conquistar o coração deles. — Eu conseguia até ouvir a voz do chefe na nossa sessão preparatória pré-viagem, então deixei a ONG para o final. Quando contei o nome da ONG, vi os olhinhos de cada um dos jurados brilhar. Ponto para mim.

Os dez minutos pareceram durar uma fração de segundo, e eu só sei que foi mais do que isso porque, quando terminei a última frase do último slide, meu maxilar estava doendo de tanto forçar o sorriso.

A moça que tinha me dado bom-dia foi a primeira a fazer uma pergunta, com um sorriso:

— Essa ONG existe mesmo?

Eu respondi que sim, e contei que era a Prato de Sopa que tinha inspirado todo o meu projeto.

Enquanto eu respondia, ela balançava a cabeça para cima e para baixo, num gesto afirmativo. E, quando terminei, ela completou:

— Que legal. Foi mesmo um achado. Casou perfeitamente com o produto.

Depois foi a vez do homem à sua esquerda, um cara na casa dos cinquenta, branco, de cabelo cinza e barba por fazer. Ele queria saber sobre o público-alvo: quem é que ia comprar a minha sopa?

— Todo mundo! — respondi animada. Mas, percebendo que a minha animação não tinha sido correspondida, continuei e repeti os dados demográficos que eu já tinha incluído na apresentação. Ele não sorriu nem balançou a cabeça ao ouvir a minha resposta.

— O seu tempo acabou, Joanna. Obrigada. O resultado vai ser divulgado ainda hoje, às quatro da tarde, aqui mesmo — disse, em inglês, a moça dos sorrisos.

Saí da sala me sentindo meio desnorteada e deixei meus pés me levarem para onde quisessem ir. Eles me levaram até a porta da Zara.

12

O que eu estava fazendo ali?

Não pensei duas vezes.

Entrei e imediatamente senti o abraço fresquinho do ar-condicionado. Olhei ao redor, tudo igual. A diagramação, com araras encostadas nas paredes, ilhas em cada um dos cantos, os provadores escondidos, o caixa bem ao centro, o mesmo cheiro fresco de aromatizador. Era como se a minha Zara de estimação, aquela de São Paulo, do shopping perto do trabalho, tivesse atravessado o Atlântico e aterrissado na Riviera Francesa.

Eu não sabia o que estava fazendo ali, mas tinha uma voz dentro de mim gritando para que eu me embrenhasse no meio daquelas araras. E foi exatamente isso que fiz.

A loja não estava cheia mas tinha movimento, o que me trouxe certo conforto de não estar sozinha, de ser só mais uma.

Rodei cada centímetro, fucei cada arara, fiz o raio X de cada ilha. Nem a seção de camisetas básicas passou ilesa.

Eu não sei se era a minha cabeça que tinha passado tempo demais longe daquele lugar, mas nunca uma coleção me parecera tão linda: um arco-íris de tons pastel, verde-pistache, amarelo clarinho, rosa-bebê. Um do lado do outro, como marshmallows numa loja de doces. Passeei pelo degradê tocando cada roupa com as mãos, sentindo as texturas na ponta dos dedos, querendo devorar tudo. Era para olhar e só, mas eu queria mais. Me vi pegando uma peça aqui, outra ali, mais uma lá na frente. Abraçando aquela bola crescente de tecidos, cuidando para não deixar nenhuma manga comprida ou perna de calça arrastar no chão.

Quando dei por mim já estava esperando na fila do provador, com uma montanha de roupas nos braços. Repeti a mim mesma que ia ser só entretenimento, um tempinho para relaxar, não pensar em nada, mas a essa altura do campeonato você já sabe que as coisas não funcionavam assim.

Que saudade eu estava daquela cabine branca de cortinas pretas, até a sujeira no chão era a mesma. Experimentei todas as nove peças que levei comigo lá para dentro. Provei cada uma pelo menos três vezes, em combinações diferentes. E não houve nada que não tenha ficado absolutamente perfeito. Tudo coube, tudo caiu bem, tudo tinha sido feito para mim.

Saí do provador com adrenalina inundando cada célula do meu corpo, uma sensação que só a perspectiva de passar o cartão de crédito na máquina era capaz de me dar. Vieram os pensamentos: *foda-se. Vou comprar tudo. Já tem meses que eu não compro nada. Eu tô exausta. Eu mereço. Minha conta tá no azul. Meu namoro tá uma merda. Eu tô em Cannes. Eu mereço. Foda-se.*

Entrei na fila do caixa. Três pessoas na minha frente. A mulher imediatamente antes de mim devia ter a minha idade. Nas mãos, carregava uma camisa de linho num tom meio marfim. Bonita. Ótima para jogar por cima do biquíni. Na frente dela, uma menina mais nova segurava um par de sandálias de salto pretas, bem com cara de sapato de balada. Eu não usaria, mas combinava com o estilo dela. Lá no início da fila, uma mulher de seus quarenta e poucos pagava por um vestido rosa e um chapéu de palha.

Ninguém tinha mais de duas peças nas mãos. Eu tinha nove. Olhei minha montanha de roupas e me senti constrangida, inadequada, louca. Me fiz a única pergunta possível, e ela era irritantemente retórica:

Eu preciso mesmo de tudo isso?

Sim! Não! Ambas as respostas pulsavam dentro de mim. Eu não preciso, mas eu mereço. Eu não devo, mas eu quero.

A fila tinha andado, e eu era a próxima. Eu passara uma vida celebrando minhas vitórias e chorando minhas mágoas no shopping. E não fui eu que inventei isso, não. Passei uma vida ouvindo que é isso mesmo que a gente faz. Vi nos filmes, li nos livros, vi nas propagandas de TV, essas que eu mesma ajudo a criar. Que as coisas têm o poder de nos transformar. De fazer o bom ficar ótimo e o ruim ficar menos pior. Mas eu já tinha caído tanto nessa cilada. Já mordera tanto a isca que sabia que não era assim. Até meus ossos já estavam cansados de sentir culpa toda vez que eu desaguava minhas emoções em cima do cartão de crédito. Mas eu queria mesmo assim. Eu merecia.

A menina na minha frente estava passando o cartão. Eu precisava tomar uma decisão.

Peguei o telefone e abri a página do blog. Fui até o final da página e li o último comentário do último post.

"Você me inspira. Desde que você começou o seu desafio, comecei a olhar para o que eu tenho com outros olhos."

Meus olhos se encheram d'água. O que é que eu estava fazendo ali? Havia cinco meses que eu estava vivendo sem nada daquilo. Por que ia colocar tudo a perder? E para quê? Para comprar um bando de roupa que dali a alguns meses eu não ia nem lembrar que tinha? Nada daquilo ia resolver a minha vida. Nada daquilo ia aplacar a ansiedade que eu estava sentindo nem consertar meu relacionamento. Pelo contrário, no momento em que eu passasse o cartão, a culpa viria junto. A culpa, a vergonha, a sensação de fracasso.

Ouvi a voz da moça do caixa. Era minha vez. Dei um passo para a frente, encostei a barriga no balcão, olhei para a moça e despejei todas as peças na frente dela.

— *Merci* — falei com um sorriso amarelo.

Virei as costas e fui embora.

Voltei para o hotel, abri o computador e escrevi o post mais orgulhoso daqueles mais de 150 dias sem compras.

DIA 157

É isso que eu chamo de prova de fogo (até porque tava um calor desgraçado no provador!)! Enfim, feliz de poder comemorar essa vitória e dizer que, depois de quase uma semana completa viajando, eu não comprei NADA. E eu devo muito disso a você, que está lendo este post agora.

Este blog surgiu para ser um mecanismo de controle. Eu me comprometo a ficar sem comprar e você se compromete a me monitorar, a me manter na linha. E foi você que me salvou hoje, você que me pegou pela mão e me levou pra longe do caixa.

Eu não teria tido forças pra resistir se você não estivesse aqui.

Eu nunca imaginei que não comprar pudesse me dar tanto prazer. Caminhei pela calçada em êxtase, me sentindo a mulher mais poderosa do mundo. Eu tinha decidido não comprar. Eu tinha controle.

Voltei para o hotel e dormi por três horas em plena luz do dia.

* * *

Às três em ponto eu entrei na mesma sala em que, pela manhã, meu coração tinha quase saído pela boca. Eu estava tranquila quando saí do hotel, meia hora antes, mas, à medida que fui me aproximando da bendita sala, a ansiedade voltou. Dessa vez, uma ansiedade diferente. Menos desesperada, mais esperançosa, mais confiante. Eu não sabia se ia ganhar qualquer coisa. Provavelmente não. Mas tudo bem. Eu estava em Cannes, competindo com gente do mundo todo. Eu merecia estar ali.

Pensei sobre esse "merecer" e como ele também era diferente daquele que ecoava na minha cabeça poucas horas antes, na saída do provador. Esse merecer de agora estava ali dentro de mim sem me cobrar nada em troca. Não tinha essa de "eu fiz isso, portanto eu mereço aquilo". Não, esse "merecer" de agora era causa e resultado, tudo junto num pacote só. Ele já era a celebração, já era a recompensa. E eu me dei conta de que não sabia se alguma vez tinha sentido aquilo.

Dessa vez os jurados ficaram de pé. Eu me sentei no cantinho da sala, perto da porta. Dava para ver todos os jurados, mas eles não estavam olhando diretamente para mim. A moça que tinha falado meu nome pela manhã segurava um papel e começou a falar em inglês:

— Queríamos agradecer a todos vocês pelos trabalhos tão inspiradores. É incrível poder olhar ao redor e ver tantos talentos. Esperamos que vocês sigam adiante ajudando a fazer este mercado cada vez melhor. E agora, sem mais delongas, vamos aos vencedores.

Eu abaixei a cabeça e fechei os olhos.

— Em terceiro lugar, recebendo a medalha de bronze... Joanna Moura, Brasil.

Quase caí da cadeira. Olhei ao redor, ainda confusa, para ver se eu tinha ouvido errado e se alguma outra Joanna estava se levantando para receber o prêmio. Mas estava todo mundo olhando para mim e batendo palmas. Levantei da cadeira e fui até a moça que me aguardava com o mesmo sorriso com o qual tinha me recebido naquela mesma sala mais cedo.

Ela estendeu o braço para apertar a minha mão. Me deu parabéns e entregou um certificado.

Sentei de volta na minha cadeira para ouvir o anúncio do segundo e do primeiro lugar, mas confesso que ainda estava tão atordoada que não saberia dizer quem ganhou o quê.

Saí do prédio e liguei para o Felipe. O telefone tocou seis vezes e caiu na caixa postal. Joguei de volta dentro da bolsa e caminhei pelo calçadão até a entrada da praia.

Cinco meses antes eu teria ido comemorar no shopping. Comprando. Gastando. Eu ia querer o meu look troféu. Naquele dia, não. Tirei o sapato, andei pela areia, larguei as minhas coisas no chão, tirei a roupa que cobria o biquíni e entrei no mar gelado e azul do Mediterrâneo. Nadei uns vinte metros para longe da praia e soltei o grito mais alto que já coube dentro do meu peito.

Esperei todo o ar sair dos pulmões. Depois respirei fundo e deitei na água, boiando, olhando para o céu. Que sensação mais foda. Eu venci. Foda-se que não foi o primeiro lugar. Foi bronze e foi incrível. E justamente naquele ano. No ano em que eu estava sem comprar. Não consigo deixar de relacionar uma coisa com a outra. Cinco meses antes, comprar — e me culpar por ter comprado — ocupava tanto espaço na minha vida que sobrava pouco para todo o resto. E, desde que eu tinha resolvido tirar isso de foco, tudo estava andando. Eu estava em Cannes e tinha ganhado bronze, estava feliz e orgulhosa. E não tinha comprado nada. Eu bati de frente com o meu pior vício, com a minha maior tentação, e fui capaz de dizer não. Eu tinha zerado aquela viagem. Nada mais podia dar errado. Eu só tinha mais 24 horas em Cannes e ia celebrar cada minuto.

Foi aí que eu baixei a minha guarda. E foi aí que dei de cara com o Arthur.

* * *

— Jo!

Olhei para o lado e lá estava ele, no meio do calçadão, com o rosto vermelho do sol, o cabelo molhado do mar e um sorriso aberto para mim.

O Arthur era um dos meus 23 companheiros de delegação. Um moço bonito, carioca, de cabelo castanho, sobrancelhas grossas e olhos que estavam sempre sorrindo. A gente tinha se conhecido no salão de embarque do aeroporto seis dias antes, mas desde então não tínhamos conversado muito. A gente se esbarrava pelos corredores do festival e se cumprimentava, sorrindo ou acenando um para o outro. Às vezes ele se juntava ao grupo naqueles finais de tarde na praia, às vezes a gente estava na mesma roda de conversa no Martinez. Nunca sozinhos, sempre rodeados de outras pessoas, sempre no meio de muitos assuntos.

— O anúncio dos vencedores da sua categoria não era hoje? — Eu me espantei que ele soubesse.

— Acabou de rolar — eu disse com um sorriso de canto de boca. Ele arregalou os olhos e levantou as sobrancelhas como quem espera o resto da informação — ... eu ganhei bronze — completei com o sorriso mais aberto e as bochechas queimando de vergonha.

— Você tá falando sério?

Ele abriu os braços e me levantou no ar.

— Que foda! Parabéns! A gente precisa comemorar!

— Acabei de dar um mergulho no mar exatamente pra isso.

Ele riu.

— Ótimo primeiro passo.

— Agora vou pro hotel. Preciso descansar. Tô morta.

— Tá bom. Você vai na festa de encerramento? A gente tem que fazer um brinde com a galera toda. Você é a redenção da delegação de 2011.

Eu sou excelente detectora de malícia, mas não tinha nenhum vestígio, e talvez por isso mesmo eu tenha ido embora para o hotel pensando nele.

No meio do caminho, senti meu celular vibrar.

"Vi que você me ligou. Tô ferrado de trabalho. Tá tudo bem?"

Joguei o telefone de volta dentro da bolsa sem responder.

* * *

Era a última noite da viagem. Eu tinha um total de *zero* roupa limpa para vestir, já tinha usado literalmente tudo o que levara na mala.

Os looks de festa também já tinham sido estreados na viagem. A verdade era que eu não imaginava que ia ter tanto evento noturno. Só me restava uma alternativa: repetir um look.

Nos primeiros cinco meses de *Um ano sem Zara*, eu não repeti nem um look. Sim, usei a mesma peça várias vezes, inclusive durante semanas inteiras sem descanso. Mas, com as restrições impostas pela minha mala de mão e o excesso de roupas irremediavelmente sujas, eu me vi obrigada a repetir um visual inteirinho.

Eu não tenho problema de repetir look para as ocasiões monótonas da vida, do tipo ir ao trabalho ou à padaria. Mas tem ocasiões que merecem uma roupa nova. E aquela noite era uma delas.

Desde o início daquele ano sem compras, eu já estava me preparando para esses momentos. Em vez de sair usando tudo logo de cara, fui reservando algumas peças especiais para estrear no blog na hora certa. O vestido que usei no meu aniversário, a roupa do dia cem... Mas eu não sabia que aquele ia ser um desses dias especiais, e a minha mala não tinha nenhuma surpresa guardada para estrear.

Por sorte, a peça mais limpa da mala era também a mais linda: um dos vestidos que a minha irmã tinha mandado de presente. Ele era perfeito, de seda com uma estampa tigrada em tons de roxo e cinza. Soltinho, fresco, sexy e confortável. E ainda vinha com aquela energia boa, de um presente inesperado, de alguém que pensou em você. Se era para repetir um look, que fosse aquele.

Combinei com o meu All Star velho de guerra para um resultado mais *cool* e menos arrumadinho e me embrenhei na noite quente de Cannes.

A festa de encerramento era na praia, de frente para a marina. Cheguei sozinha, peguei uma taça de espumante logo na entrada e fui procurar alguma cara conhecida na multidão. Não precisei procurar muito. De longe, ouvi um coro masculino chamar o meu nome.

— Aê! A mulher do bronze chegou!

Oito dos 23 estavam ali. Alguns dos meus preferidos, aliás. Os mais legais, mais divertidos. Rolou brinde e abraços de parabéns. Eles pareciam genuinamente orgulhosos de mim, sem ciúme, sem competição. Eu senti orgulho também. Orgulho e sorte de ter ido para lá e ganhado aquelas pessoas de bônus.

O Arthur era um desses oito, e fiquei feliz por ter colocado o vestido mais bonito da mala. Ele seguiu o gesto dos demais e me abraçou de novo. Foi rápido. Para quem viu de fora, um abraço igual a todos os outros. Mas naquele segundo, apertada dentro daqueles braços, eu pude sentir o cheirinho no pescoço dele, e ele sentiu o meu.

O DJ era ruim e a festa estava meio morta, mas tinha bebida de graça, então fomos todos ficando até que não sobrou mais ninguém. Fomos expulsos à meia-noite e seguimos pelo calçadão até o Martinez, o único lugar que certamente estaria aberto até de manhã. Era a última noite de uma semana que nenhum de nós queria que acabasse.

O calçadão era estreito, então a turma foi se dividindo em grupos de dois ou três. Uns mais à frente, caminhando a passos largos na direção do próximo copo de cerveja. Eu fui caminhando devagar, olhando para os iates parados lá no mar.

— Nada mau, né? — Era ele ao meu lado. Meu coração acelerou um pouquinho.

— Oi?

— Ficar num desses. Aposto que não tem beliche naquele ali.

— Se tiver um ar-condicionado e uma cortina decente, para mim já tá ótimo.

Ele riu. E a gente seguiu conversando até o nosso destino

O esquema da madrugada no Martinez era bem boteco. O povo em pé na rua ou sentado na calçada. Não fossem os iates no mar logo em frente e a profusão de línguas diferentes nas rodas de conversa, dava até para achar que a gente estava no Brasil.

Estava todo mundo tão feliz que parecia final de novela. Tínhamos criado uma conexão nos sete dias lá, uma cumplicidade que vinha de histórias que só a gente viveu. Só a gente sabia quanto o colchão do beliche era duro e como fazia calor naqueles quartos à noite. Só a gente sabia como era fácil entrar de penetra nas festas e quanto era difícil subir aquela ladeira de volta para o hotel bêbados na madrugada. Só a gente entendia o orgulho de estar lá e a pressão de competir. Íamos todos voltar para casa no dia seguinte e reencontrar as pessoas que tínhamos deixado para trás, as que mais nos conheciam, mas nenhuma delas entenderia o que a gente tinha vivido junto naqueles sete dias do outro lado do oceano.

Os oito da festa rapidamente viraram doze, que viraram dezoito, e, de repente, só se ouvia português na frente do Martinez. Todo mundo tinha muito assunto. Como em todas as noites em que a gente se reunia por lá, eu entrava e saía de rodas de conversa, ia pegar uma rodada de cerveja e, quando voltava, engatava um novo assunto num outro grupo. Mas aquela noite foi diferente.

No meio do troca-troca, Arthur era meu denominador comum. Em toda roda em que eu chegava, ele estava. Em toda roda em que eu estava, ele aparecia. Enquanto os outros falavam, a gente trocava olhares cúmplices e ria das mesmas piadas. Quando a conversa num grupo ia morrendo, a gente aproveitava para engatar uma só nossa.

"Me conta do seu blog?"

"Você é do Rio? Eu morei lá."

"Você já conhecia alguém da galera?"

"Você gosta de morar em São Paulo?"

"Você conhece o fulano? Eu estudei com ele na faculdade!"

Lá pelas tantas, a nossa conversa virou mesmo só nossa. Ele me contou do intercâmbio que tinha feito com quinze anos, e eu contei dos meus Carnavais em Salvador. Ele falou dos pais que se separaram quando ele era bem pequeno, eu contei dos meus quatro irmãos e dos três casamentos do meu pai. Eu descobri que ele gostava de samba e que nunca tinha ido a um festival de música. Ele descobriu que eu gostava de funk e odiava malhar. A gente riu, fez piada um do outro e falou de tudo. Tudo menos o fato de eu ter um namorado. Ele não perguntou, e eu preferi não dizer.

Era quase de manhã quando os últimos sobreviventes da noite se despediram e foram embora. Sobramos nós dois, sentados descalços na mureta da praia, rindo e vendo o céu mudar de cor. Quando os primeiros raios de sol despontaram lá no horizonte, entendi que era hora de ir embora.

Ver o nascer do sol junto com aquele cara que me fizera rir a noite toda era tentador demais. Era um convite para fazer uma besteira. Lembrei aquela sensação na fila da Zara horas antes. Aquele conflito interno do querer muito e, ao mesmo tempo, saber que aquilo ali não estava certo.

— Tá na minha hora — falei quando me levantei meio bruscamente.

— Vamos, amanhã eu tenho que acordar cedo pra pegar o meu voo — ele disse.

Ele tinha aproveitado para emendar umas férias na viagem, portanto não ia voltar para o Brasil no mesmo voo que o resto da delegação.

— Ah, é! — falei, fingindo animação, enquanto me dava conta de que era a última vez que a gente ia se ver.

Voltamos andando juntos até o hotel. Tinha certa melancolia no ar. E o céu já estava pintado de rosa.

Subimos juntos no elevador. Quando chegou no terceiro andar, eu parei na porta e disse boa viagem. Ele me deu um abraço apertado, mais longo do que o habitual, e, com um sorriso meio triste, disse:

— Obrigado pela noite.

As portas se fecharam entre a gente, e eu fui dormir pensando naquele abraço.

No dia seguinte, o meu voo era só no fim da tarde. De manhã, saí para ver Cannes pela última vez. Fui até a praia e sentei na mesma mureta que tinha servido de palco para nossas risadas durante a madrugada. Fiquei triste por pensar que provavelmente a gente não se veria mais e imaginei toda uma vida que poderia se desenrolar a partir daquela noite se eu não tivesse alguém me esperando em casa lá do outro lado do mar.

Voltei para o hotel por um caminho diferente, para não passar em frente à Zara. Mas dei de cara com a Sephora, aquela loja de cosméticos gigante. Eu não sou a maior fã de maquiagem. Uso, no máximo, um corretivo, um blushzinho e um rímel. Por isso mesmo, maquiagem não tinha entrado no desafio do ano sem compras. Mais dia, menos dia o meu corretivo ia acabar e o rímel ia vencer, e eu não ia correr o risco de passar um ano inteiro sem conseguir disfarçar as minhas olheiras. E, no fim das contas, não era uma supertentação para mim. Até esse dia.

Entrei na loja e me deixei levar. Olhei tudo, testei mil coisas, deixei a vendedora me maquiar e andei pela loja com um olho pintado de laranja e outro de azul. No fim, peguei uma sombra amarela, um delineador azul e um *bronzer*, levei para o caixa e comprei.

Estava dentro das regras do jogo? Estava. Era uma malandragem mesmo assim? Era. Eu não precisava de nada daquilo, mas eu precisava de uma malandragem.

Voltei para o hotel, arrumei as malas e deixei Cannes para trás, mas um aperto no estômago me acompanhou até o Brasil, junto com a lembrança de um certo carinha. Eu não tinha quebrado a minha promessa, mas definitivamente tinha caído em tentação.

13

A peça de roupa mais linda que eu já tinha visto em toda a minha existência

Foi estranho voltar para casa. Depois de uma semana longe, parecia que eu tinha voltado para uma vida que nem era mais a minha.

A medalha de bronze tinha vindo para coroar meses de trabalho duro, e o meu chefe achou por bem reconhecer os meus esforços e me promover antes que alguma outra agência viesse bater na minha porta. Com a promoção, veio um aumento de salário, e eu consegui bater a meta para não precisar pagar de volta o meu pai. Pense numa ligação boa de se fazer:

— Oi, pai, então, bati a meta do nosso desafio. Ah! E também fui promovida.

Eu estava me achando riquíssima. Fiz até uma reunião com o meu gerente do banco para saber onde investir o dinheiro. Ele não deve ter entendido nada. Aquela conta que só sangrava agora tinha dinheiro sobrando para investir. O coitado deve estar até agora achando que eu me envolvi em alguma atividade criminosa altamente lucrativa. Ele me perguntou se eu queria pegar uma parte do que estava na conta e fazer um investimento de risco, para ver se conseguia um rendimento melhor. Respondi que, de acordo com o meu histórico, o dinheiro corria risco mesmo era ficando na minha conta. Ele riu, mas acabamos colocando tudo na renda fixa. Deus me livre ter feito tudo aquilo para juntar dinheiro e ele sumir de uma hora para outra porque a bolsa surtou.

Tudo ia bem. Menos a vida amorosa, que estava mesmo um desastre.

Depois daquela última noite em Cannes, eu não tive mais notícias do Arthur. Melhor assim. De vez em quando eu me perguntava se aquela noite havia mesmo acontecido ou se tinha sido tudo um grande delírio alcoólico. De todo jeito, eu preferia não estragar aquela história misturando-a com a vida real.

No dia em que cheguei do aeroporto, o Felipe me recebeu em casa com flores, fez um jantar para a gente, perguntou tudo sobre a viagem e parecia genuinamente orgulhoso de mim. A gente tinha se falado pouco durante aquela semana em Cannes, e as conversas eram sempre apressadas. Mas, apesar da recepção calorosa, no dia seguinte, o calor já tinha ido embora. A verdade era que a viagem parecia ter criado uma distância irremediável entre a gente, muito maior até do que aquela entre Brasil e França.

A solução que nós dois encontramos foi mascarar essa distância nos rodeando de pessoas, num acordo tácito de camuflar a nossa solidão conjunta com a companhia dos nossos amigos. Festas, jantares, rodas de violão no chão da sala, tudo para disfarçar aquela melancolia de uma relação que míngua e, provavelmente, não tem mais jeito.

No tempo que sobrava, eu pensava no blog.

Eu aterrissei no Brasil às vésperas do dia duzentos. Na verdade ainda faltava pouco mais de um mês, mas um mês não era nada perto do tamanho e da importância desse número. Ia fazer duzentos dias que eu não comprava nada. Nenhuma blusa, nenhum vestido, nem um brinquinho sequer. Eu, que não me lembrava de ter ficado sem comprar nada por duas semanas seguidas durante toda a minha vida adulta, ia completar duzentos dias sem comprar. A vida podia estar meio merda e meio ótima, mas duzentos dias não eram duas semanas, e eu precisava de uma comemoração à altura.

A verdade era que comecei a me planejar para o dia duzentos meses antes, mais precisamente cem dias antes. É que o centésimo dia do blog tinha me pegado desprevenida. Eu sei, é difícil imaginar que uma pessoa que está literalmente contando os dias perca a noção do tempo. Mas eu estava tão mergulhada em cada um desses dias que o tempo passou e eu não vi. Deixei para pensar no assunto em cima da hora e tive que improvisar. Acabei indo até a esquina para comprar uma garrafa de champanhe e chamei um amigo para fazer umas fotos lá em casa. Era para ser *cool* e com cara de editorial da *Vogue*, mas acabou ficando meio tosco e com uns looks aleatórios que não tinham nada a ver com o meu estilo, com a minha história. Naquele mesmo dia, enquanto escrevia o post, decidi que não cometeria o mesmo erro no dia duzentos.

Poucos dias depois, enquanto passeava pelo Facebook na sala de espera da minha ginecologista, dei de cara com um post de uma amiga cuja filha tinha acabado de fazer quinze anos. O post tinha uma foto da menina ainda bebê e outra, toda crescida e produzida, em sua festa de debutante.

Era isso! Fechei o Facebook e liguei para a minha mãe.

— Você sabe onde anda a saia da minha festa de quinze anos?

— Vixe. Acho que a gente deu para a sobrinha da Bá usar na festa de quinze anos dela. Por quê?

— Ah, é verdade. Será que ela me emprestaria? Eu queria usar no blog.

— Não sei nem se ela ainda tem a saia, filha. Faz tanto tempo...

— Deixa pra lá, mãe. Eu me viro aqui.

Desliguei o telefone e, conformada, tratei de colocar a saia de volta no lugarzinho do meu cérebro onde estão as outras roupas que eu um dia amei mas nunca mais vou ver de novo.

Passei duas semanas tentando ter outras ideias. Pensei em fazer uma nova semana temática ou estrear um look inteiro só com peças que ainda não tinham aparecido. Mas tudo parecia meio sem graça, meio sem alma.

Eis que, um mês depois, um pacote enorme foi entregue na minha casa. No remetente, o nome da minha mãe e o nosso endereço de Salvador. Abri a caixa e dei de cara com ela, a saia que eu tinha usado doze anos antes. Até as duas manchinhas na barra, conquistadas na festa, ainda estavam lá, agora junto com outras duas novas, provavelmente adquiridas ao longo de suas mais recentes badalações.

Apesar das marcas do tempo, ela seguia esplendorosa como no dia em que saíra da loja, um dia, aliás, não muito diferente daquele que precedeu a minha festa de dez anos. Minha mãe e eu fomos ao mesmo shopping com a intenção de seguir o mesmo ritual: entrar e sair do maior número de lojas possível, olhar absolutamente tudo e só então tomar uma decisão. Eu tinha uma vaga noção do que eu queria: uma coisa meio princesa, porém mais adulta e moderninha. Não queria de jeito nenhum um vestido, porque achava que ia usar uma vez e nunca mais. Melhor uma saia e uma parte de cima, assim conseguiria fazer o look render nas muitas outras festas de quinze anos que ainda me aguardavam ao longo daquele ano de 1999.

Olhando para a saia hoje, consigo entender o porquê de ter sido amor à primeira vista. Ela era simplesmente a peça de roupa mais linda que eu já tinha visto em toda a minha existência. Feita de cetim de seda cinza-claro, com um brilho natural hipnotizante, era longa e ampla, de cintura alta e com aquela barra pesada que para a um dedinho do chão, escondendo os pés.

Na mesma loja encontrei um corpete também de seda, num tom de cinza mais escuro, e esse foi o combo escolhido para o dia do grande evento. Doze anos depois, eu seguia achando aquele um dos looks mais lindos que já vesti e usaria de novo igualzinho se o corpete não tivesse se perdido pela vida.

A ideia de investir em duas peças em vez de uma inteira deu certo, e eu usei o corpete várias vezes. Mas a saia, coitada, nunca arrumou outra ocasião para dar o ar da graça. Nenhum evento parecia estar à sua altura, até aquele momento.

Só faltava uma coisa: tinha que servir. Doze anos haviam se passado e eu tinha plena consciência de que o meu corpo não era o mesmo. Ainda era magra, mas nem de longe tão magra quanto naquela época. Tirei da caixa e vesti ali mesmo, no meio da sala. O zíper subiu todo e o botão quase fechou, nada que um elástico de cabelo não resolvesse. Corri para o quarto e me olhei no espelho de corpo inteiro do armário. Dia duzentos, aqui vamos nós!

Passei as semanas seguintes me ocupando com o planejamento do resto do look. Resgatei o álbum da festa e gargalhei ao dar de cara outra vez com aquele *babyliss* horroroso que figurava na minha cabeça. Para ressuscitar a minha saiona, era preciso transportá-la metaforicamente para o tempo atual, tirá-la de 1999 e trazê-la para 2011. Sai a vibe princesa e entra um look mais urbano e adulto.

Testei mil coisas, deixei inclusive algumas opções a postos para o fatídico dia, mas nenhuma tinha ainda tocado o meu coração. Foi só na manhã daquele 18 de setembro que eu consegui de fato terminar o quebra-cabeça.

Está certo que a ideia do look não foi minha. Preciso dar o crédito a quem o crédito é devido. Na sexta-feira de manhã, eu já tinha passado a saia e a deixado prontinha para sua grande estreia. Ela era tão grande que não cabia inteira dentro do armário, então, para não amassar de novo, estendi num cabide que pendurei no gancho atrás da porta do quarto.

Quando abri a porta na segunda-feira para pegar a saia, encontrei, pendurada por cima dela, uma das minhas camisetas preferidas. A Eliete, diarista que ia lá em casa uma vez por semana, devia ter encontrado a bendita em algum lugar e pendurado junto com a saia.

A camiseta era uma dessas que já saem da loja com cara de velha. Ela não chegava a ser branca, era um cinza-claro, feita de um algodão fino e meio transparente que lhe conferia um aspecto meio rebelde, meio rock'n'roll.

Duas peças não podiam ter naturezas mais diferentes. A saia era estruturada, e a camiseta, molinha e sem forma; a saia era brilhosa e a camiseta opaca; a saia era digna de uma festa do Oscar, a camiseta fazia as vezes de pijama. Mas a verdade era que elas se encaixavam perfeitamente, uma equilibrando os excessos da outra. E foi assim que a Eliete sem querer escolheu o meu look do dia duzentos.

Me vesti, fotografei o look prontinho, com direito a cabelo arrumado, maquiagem feita e All Star nos pés. Depois sentei no sofá. Era um domingo, e eu não tinha nada para fazer. O Felipe teve que trabalhar e eu fiquei com preguiça de programar alguma coisa. Lembrei que tinha brigadeiro de colher na geladeira. Peguei o prato e uma colher e voltei para o sofá, dessa vez sem os tênis e com os pés para cima.

Enquanto lambia a colher, olhei para a saia e pensei em tudo o que ela já tinha vivido, aventuras de que eu nem fazia ideia. Lembrei da minha festa e de como eu tinha me sentido linda naquele dia, e fiquei feliz de pensar que pelo menos mais uma menina sentiu o mesmo que eu. Tentei imaginar como teria sido seu look, o que ela teria usado no cabelo, como ela transformou a saia que um dia foi minha na saia dela.

E, depois de tudo isso, parecia um pouco surreal que a saia estivesse ali comigo de novo. Eu já tinha me livrado de muita roupa na minha vida sem nunca parar para imaginar aonde elas teriam ido. Era como se, ao irem embora do meu armário, elas também parassem de existir no mundo. Mas, como em qualquer relacionamento que acaba, quer a gente queira, quer não, o outro segue existindo.

Pensei em todas as roupas que já passaram pela minha vida, as que eu amei e as que nem lembro mais. Com sorte, algumas tiveram uma história parecida com a dessa saia, cumpriram sua função no meu armário e seguiram seus caminhos, adornando novos corpos, trazendo alguma alegria ou, no mínimo, exercendo alguma função na vida de outras pessoas, depois de outras e mais outras. A maioria provavelmente teve um destino mais triste, esquecida, abandonada, jogada no lixo. Uma montanha de roupas no lixo. Era essa a imagem que eu não conseguia tirar da cabeça, a de uma montanha de roupas tão grande que dava para ser escalada. Qual o sentido disso? Qual o valor disso?

Foi aí que eu entendi. Não tinha a ver só com ficar no azul. Eu podia ter todo o dinheiro do mundo. Hoje, cada vez que passo o cartão de crédito, preciso ter a certeza de que aquela compra faz sentido não só para o meu bolso, mas para a minha vida. Preciso ter certeza de que aquela roupa vai ser usada. E usada de novo e de novo. Preciso saber que sou capaz de cuidar dela, de fazê-la sobreviver ao tempo, ao uso. E, quando ela não fizer mais sentido pra mim, eu preciso cuidar pra que ela passe a fazer sentido para alguém.

Roupas não são descartáveis, e eu precisava começar a me responsabilizar pelas minhas.

Tirei a saia com cuidado e guardei no armário. Semanas depois, liguei para a Bá e perguntei se a última dona ainda queria a saia. Ela disse que não, mas que sua outra sobrinha ia se formar na faculdade e ela havia pensado em dar uma roupa de presente para ela usar no dia da formatura. No dia seguinte, comprei uma caixa de presente e enviei a saia de volta para Salvador com um cartão que dizia: "Cuida dela por mim".

14

Eu te traí

No fim de novembro, eu e o Felipe tivemos a nossa briga final, e eu saí de casa.

A gente tentou. Um pouco depois da minha volta de Cannes, quando ficou claro que ninguém ali estava feliz, nós conversamos e nos comprometemos a mudar, a passar mais tempo só nós dois, a nos reconectar. A gente tinha cinco anos de história, tinha mudado de cidade junto, construído uma vida em São Paulo, conquistado um grupo de amigos mais próximo do que muita família por aí. Não dava para jogar tudo isso fora sem tentar. Então tentamos. Viajamos juntos, saímos para jantar, compramos presentes um para o outro sem motivo especial, lembramos as coisas que, lá no início, haviam nos levado para perto um do outro. Mas não rolou. A nossa relação já tinha se quebrado, e, por mais que a gente tentasse colar as peças, algumas já tinham se perdido pelo caminho.

A gente se arrastou assim por um tempo, fechando os olhos, empurrando com a barriga, se distraindo com outros pedaços da vida que não envolviam um ao outro. Ambos cansados demais daquela infelicidade, mas também sem forças para tomar uma atitude definitiva. Até uma quarta-feira.

Eu tinha ficado até tarde num evento do trabalho. Ele tinha ligado algumas vezes e eu não tinha atendido. Em outros tempos isso não teria dado em nada, mas naquelas circunstâncias essa era a fagulha que a gente estava esperando para explodir.

Ele estava sentado no sofá quando eu cheguei em casa.

— Onde você tava?

— Numa festa do trabalho.

— Até essa hora?

— É, até essa hora.

— Até quando a gente vai ficar fazendo isso?

— Eu não sei. Eu não aguento mais.

— Eu também não.

— Tá uma merda.

— E o que a gente vai fazer?

— Eu não sei.

— Eu preciso que você queira estar comigo. Você ainda quer estar comigo?

Eu não queria. E aqui preciso admitir uma *mea culpa*. Eu sei que eu falei que a gente tentou, mas a verdade é que ele tinha tentado mais que eu. Desde que havíamos decidido nos dar mais uma chance, ele havia mudado. Me dava mais espaço, me cobrava menos, me incentivava mais. Me deu até roupa de presente, um vestido de tule que eu tinha visto e amado muito. "Viu como eu presto atenção?" E, vendo essa mudança toda dele, eu quis muito querer ficar.

Pensei muito nisso, em simplesmente me manter ali, ficar onde eu estava. Em levar a nossa relação assim mesmo, que uma hora ou outra a gente entraria no compasso de novo. Mas se tinha uma coisa que aquele ano estava me ensinando era que ficar no mesmo lugar não leva a gente a lugar nenhum. E pela primeira vez eu estava olhando para mim, sem o artifício das compras, e vendo que estava infeliz. Ia ser tão mais fácil ficar, mas eu não queria mais. Eu já sabia que tinha que acabar, mas não consegui responder.

— Eu não consigo mais viver assim — ele disse. — Eu quero estar com você, mas, se você não quer, por favor, sai da minha vida.

— Tá bom — respondi, com a boca trêmula e os olhos baixos.

Abri a porta e saí de casa, com a roupa do corpo e a *clutch* que eu tinha usado na festa.

* * *

Meia hora depois, eu bati na porta do Dani.

— Eu e o Felipe terminamos. Posso ficar aqui até eu resolver pra onde ir?

Ele me abraçou e fechou a porta atrás de mim.

O apartamento do Dani era pequeno, um quarto e sala. Ótimo para uma pessoa, ou para um casal, mas definitivamente apertado para duas pessoas com vidas independentes. A verdade era que eu não tinha muitas opções de lugares para ir. Todas as meninas do nosso grupo eram casadas com amigos do Felipe, e a última coisa que eu queria naquele momento era ter que ficar medindo as minhas palavras ou dando explicações do porquê eu tinha saído de casa. Então preferi ir para a casa do Dani, não só porque ele é meu melhor amigo, mas porque eu sabia que ele não ia me bombardear com perguntas.

Quatro dias depois, consegui um apartamento provisório para ficar até achar um novo lugar para morar. Era fora de mão, mas era de graça, a casa de um amigo da família que estava temporariamente desocupada.

Na primeira noite em que dormi lá, chorei copiosamente pela primeira vez desde que tinha saído de casa. Naquele apartamento estéril, sem graça e sem vida, eu me senti sozinha de uma forma aterradora. Me dei conta do passado que eu tinha acabado de descartar junto com os planos de futuro que eu não queria mais. No lugar deles, não tinha sobrado nada.

Eu cresci vendo os filmes da Disney. Sim, sou da geração das princesas. Não tenho orgulho, tampouco vergonha. O fato é que os contos de fada colocaram essa ideia de "amor para sempre" na minha cabeça, e eu achei que até os trinta esse amor já estaria resolvido. Mas, depois de um noivado que não foi para a frente e um namoro de cinco anos que acabava de ser jogado pela janela, eu estava começando a duvidar dessa história toda. Eu tinha 27, e o amor parecia mais longe do que nunca.

* * *

Nesse limbo pós-término, pré-qualquer outra coisa, eu estava vivendo à base de uma dúzia de roupas amassadas numa sacola. Eu não queria levar o meu armário inteiro para o apartamento provisório justamente pelo fato de ele ser provisório. A grande maioria das minhas coisas ainda estava na casa do Felipe.

No dia em que fui buscar umas coisas lá, numa hora em que eu tinha certeza absoluta de que a casa ia estar vazia, abri a porta com a minha chave e dei de cara com o Felipe. Ele tomou um susto, mas depois quis conversar. Falou que naquele dia a gente estava com os nervos muito à flor da pele. Se desculpou pelo jeito que tinha falado comigo, pediu para eu sentar, perguntou se eu queria beber alguma coisa. Eu falei que tinha que ir. E ele me perguntou por que eu não queria nem tentar. Eu não sabia dizer.

— Não sei explicar. Eu só sinto que não tô feliz e que preciso de um tempo só pra mim.

Enquanto eu fechava a mala com as roupas para aquela semana, ele me disse:

— Às vezes eu acho que você enjoa das pessoas como enjoa das suas roupas. A gente tinha uma história. E você tá jogando ela fora pra quê? Pra ir atrás de qualquer coisa nova, que em alguns anos também vai perder o brilho. Cuidado pra não acordar um dia e perceber que a vida passou e você tá sozinha.

Aquela frase entrou como uma faca no meio do meu peito. Não porque ela fosse particularmente cruel. Ele estava doído e, quando a gente está doído, quer fazer doer. A frase doeu mais porque parecia fazer sentido. Eu fazia isso mesmo? Será que eu nunca ia estar satisfeita com o que tinha? Será que essa era a minha sina? Ficar sempre correndo atrás do novo? Ter o armário lotado para preencher uma vida vazia?

Antes de sair, ele me pediu a chave de volta.

— Da próxima vez que você quiser vir aqui pegar alguma coisa, me avisa antes e eu saio e deixo a chave na portaria.

Fui embora de lá me perguntando se aquele ano inteiro não passava de uma ilusão. E se, quando ele acabasse, eu voltaria a ser exatamente quem eu era antes. Talvez fosse melhor parar de fingir ser uma coisa que eu não era. Talvez fosse melhor abandonar tudo aquilo logo e aceitar que eu era mesmo aquela mulher de meses atrás e que nenhum ano sem Zara e nenhum *boy* novo iam mudar essa realidade.

Quando entrei no táxi, pensei em pedir para o motorista me deixar no shopping, mas consegui ter a clareza de entender que não devia tomar nenhuma decisão drástica naquele estado. Em vez disso, voltei para aquela casa que não era minha e passei um fim de semana inteiro sem ver ninguém.

* * *

A semana seguinte foi bem triste. Na separação de bens, eu fiquei momentaneamente sem amigos. Fora o Dani, que era solo, o resto se compadeceu do Felipe. Eu que tinha saído de casa, eu que tinha decidido terminar, ele que precisava de colo e cuidado.

Nesse tempo, comecei a pensar muito em comprar. Mais do que eu gostaria e mais do que tinha me acostumado a pensar nos últimos meses. E nem era porque eu estava vivendo com meia dúzia de roupas amassadas dentro de uma mala, mas porque esse era o meu comportamento padrão, aquele ao qual o meu corpo recorria instintivamente toda vez que eu me sentia para baixo. Comprar era como eu lidava com os meus problemas, como eu me distraía, como eu fazia passar o tempo. E, naquele momento em que o tempo custava a passar, não comprar me fazia uma falta enorme.

Quase nove meses me separavam da minha última compra. Eu tinha aprendido tanto... Tinha entendido tanta coisa sobre mim mesma, sobre o que eu realmente precisava e o que me fazia bem. Estar com os meus amigos, com a minha família, curtir a minha casa. Mas, naquele momento, eu não tinha nada daquilo.

Criei o hábito de entrar em sites de compras, aqueles com produtos tão caros que nem na minha fase de consumista inconsequente eu era capaz de comprar. Assim eu garantia que, mesmo que quisesse, não ia cair em tentação. Passava horas namorando páginas e mais páginas de vestidos, blusas, saias e acessórios. Fuçava as marcas novas, dava uma olhada nas liquidações, escolhia as peças preferidas e montava looks inteiros na tela do computador. Pensava com o que ia usar cada coisa, para onde eu iria... As finalistas iam todas para o carrinho de compras, totalizando somas astronômicas. Às vezes eu caía numa coisa menos cara e quase comprava, chegava a colocar as informações do cartão, mas, na última hora, fechava o computador e ia fazer um misto quente de bisnaguinha.

Sim, minha alimentação também deu uma guinada para pior. A casa temporária, a cozinha temporária e a rotina temporária me tiravam a vontade de planejar qualquer coisa. Até as refeições. Somava-se a isso o meu inconsciente moldado pela cultura pop, por mulheres recentemente saídas de relacionamentos sentadas em sofás comendo Cup Noodles e bebendo vinho (ou qualquer outra bebida alcoólica que dê para tomar direto da garrafa). Esse era o retrato de quase todas as minhas noites. Só que, em vez de Cup Noodles, a minha preferência sempre tendeu para o Miojo sabor galinha caipira, seguido de um pote de Häagen-Dazs de doce de leite.

E aí tinha o blog. Manter as postagens em dia virou uma tortura e envolvia todo um processo que começava por, uma vez por semana, combinar com o Felipe uma hora em que eu pudesse passar em casa. Eu não queria vê-lo nem ele queria me ver, então ele me avisava quando não ia estar em casa, deixava as chaves na portaria e eu aparecia.

Estar lá sozinha também era triste. Aquela ainda era a minha casa, mas não era mais. Cada vez que eu ia lá percebia que ele tinha tirado alguma coisa do lugar, trocado a posição de um móvel, pendurado algum dos quadros que tinham passado meses no chão, encostados na parede. Era como um jogo dos sete erros, da imagem que eu tinha guardado na memória e daquele novo lugar, igual mas diferente, recheado de pistas de que a vida dele estava seguindo adiante e a minha parecia parada no mesmo lugar.

Nessas idas, eu escolhia os looks da semana e fotografava um a um, sorrindo para as fotos e chorando de vez em quando nos intervalos. A essa altura, a parede ao lado da janela da sala já tinha virado marca registrada do *Um ano sem Zara*. E, se tudo na minha vida estava mudando, pelo menos isso eu queria manter igual, pelo menos por enquanto.

A verdade era que o blog tinha se tornado mais que um diário de looks. Tinha se convertido num diário de vida, um lugar onde eu compartilhava a minha rotina, as minhas alegrias e sofrimentos, as minhas conquistas e dificuldades com milhares de pessoas todos os dias. Mas essa história toda do término ainda não estava digerida dentro de mim. Um monte de perguntas ainda pairavam no ar.

Por que acabou?

Tem volta?

Onde eu vou morar?

Eu não tinha as respostas. E talvez por isso mesmo ainda não me sentisse preparada para gritar no alto-falante da internet sobre a minha relação falida e a solteirice recém-adquirida.

Só me restava uma alternativa: tentar manter as aparências e seguir como se estivesse tudo bem, como se nada de novo estivesse acontecendo. Mas confesso que era difícil enganar os leitores mais atentos. Meu semblante nas fotos não era o mesmo, e até as roupas que eu escolhia pareciam ter perdido um pouco o brilho.

Naquele ano, mais do que nunca, minhas roupas tinham virado uma extensão de mim. Sem as tendências do momento e o constante fluxo de coisas novas entrando no armário, eram a minha criatividade e o meu humor que me vestiam. E, quando o humor ficou cinza, pareceu que o armário todo assumiu o mesmo tom.

Me vestir pela manhã havia se tornado um suplício. Eu odiava olhar naquele espelho que não era meu. Odiava abrir aquela mala de roupas que não faziam nenhum sentido. Odiava me vestir e ver tristeza nas minhas roupas.

* * *

No sábado eu aproveitava para ficar de pijama o dia todo, mas naquele sábado específico eu tinha que trabalhar. Abri a mala e vesti literalmente a primeira coisa que me apareceu pela frente, e, não por acaso, era um vestido preto.

Eu não costumava trabalhar nos fins de semana, mas, desde o término, passara a aproveitar qualquer oportunidade de sair do apartamento e ocupar a cabeça com outra coisa. Com a minha promoção, o trabalho também estava pegando fogo, então eu acabava unindo o útil ao necessário. E, naquele dia, eu tinha que fazer umas pesquisas que só dava para fazer lá no escritório.

Não tinha ninguém no prédio. Até o departamento de criação, que sempre tem alguns gatos pingados trabalhando no fim de semana, estava vazio. Sentei à minha mesa às onze da manhã e, às três da tarde, já tinha terminado. Meu estômago roncava, e eu não tinha nada programado para o resto do dia. Rodei pelo prédio novamente para ver se tinha aparecido alguém, talvez encontrar uma companhia para o almoço, para uma cerveja. Mas não tinha ninguém. O quilo e o italianinho, que eram meus refúgios gastronômicos durante a semana, estavam fechados, e, como opção barata, só me restava o shopping. Fechei o computador, catei a bolsa e fui.

A praça de alimentação estava lotada, mas consegui pegar uma mesa pequena e comer meu Cheddar com batata frita e Coca-Cola em paz, assistindo a qualquer coisa no YouTube e camuflando o barulho ao redor com os fones de ouvido. Nessa época, eu tinha dado um tempo de ouvir música. Todas elas me faziam chorar.

Depois de comer, resolvi aproveitar que estava lá para tentar comprar presentes de Natal. Era dezembro, mas eu estava evitando essa tarefa porque tinha medo de ficar entrando e saindo de loja. Pensei em comprar tudo pela internet, para diminuir a chance de cair em tentação. Mas não tinha nada para fazer e eu já estava lá.

Preferi evitar qualquer loja de roupa e fui direto à livraria, aquela mesma que tinha me abrigado no dia do cinema. Lá eu estaria segura e ainda conseguiria matar os presentes de boa parte da minha lista de uma vez só. Parei na vitrine para ver os lançamentos, meu olho zigue-zagueando pelas capas que se amontoavam por trás do vidro. Achei um que a minha mãe já tinha comentado que queria ler. E vi um livro de colorir de Star Wars que meus sobrinhos iam amar. De repente, numa brecha entre um título e outro, lá no fundo da loja, eu vi os dois. Meu coração parou no peito.

Ele tinha cortado o cabelo e raspado a barba, vestia uma camiseta que eu não conhecia, com certeza era nova. Ao seu lado, uma mulher. Alta como ele, de cabelos loiros bem curtos e piercing no nariz. Ela ria enquanto apontava alguma página de algum livro que eu não consegui ver qual era. Ele riu jogando a cabeça para trás, como fazia quando alguma coisa era engraçada de verdade, depois pegou no pescoço dela, com uma intimidade meio constrangida que parecia recente.

Fiquei ali paralisada por alguns segundos. Olhando fixamente aquela cena e tentando entender se ela estava mesmo acontecendo ou se o excesso de gordura, sódio e açúcar na minha dieta estava me fazendo ter alucinações. Até que ele levantou a cabeça e nossos olhos se cruzaram.

Eu entrei em pânico, meu coração agora batia forte e acelerado. Virei as costas e saí andando o mais rápido que consegui, minha cabeça tentando processar aquela cena, meus olhos tentando não ceder às lágrimas que se acumulavam nas pupilas e faziam o shopping parecer turvo por trás de toda aquela água. Felipe estava seguindo em frente e eu não estava conseguindo nem seguir em linha reta.

Andei, andei e só parei quando cheguei na Zara. A mesma que tinha me abrigado naquele fatídico dia da reunião malsucedida. Sim, eu estava de volta no ponto de onde partira.

Naveguei a esmo pelas araras, olhando as roupas sem enxergar nada, até que parei num vestido branco, com cara de Ano-Novo.

Comprar roupa para o Réveillon era outro ritual da minha vida antes do *Um ano sem Zara*. Eu não sou chegada a superstições, mas essa é uma que sempre mantive, provavelmente porque era uma boa desculpa para ir às compras. Eu amava todo o ritual. Achar a roupa perfeita para o evento daquela virada de ano, comprar, levar na mala ainda embrulhada no papel de seda do jeitinho que saiu da loja, abrir no dia 31, estender na cama enquanto tomo banho, seco o cabelo, passo maquiagem. E, por fim, colocar a roupa no corpo e me sentir nova e pronta para o novo.

Naquele ano, eu já tinha me conformado que ia ser tudo diferente, que não ia ter dia no shopping nem vestido com cheirinho de novo para começar o ano. Lá no início do desafio, eu tinha até reservado um vestido branco do armário para usar no dia 31. Assim, mesmo que ele não fosse novo para mim, pelo menos ia ser inédito no blog. E, na época, isso parecia suficiente.

Mas, como eu disse, tudo tinha mudado. Eu estava sozinha e sem rumo, com o coração pesado e uma vontade louca de recomeçar, de inaugurar uma nova Jojo. E aí o vestido branco novo nas minhas mãos pareceu a única solução possível. Não pensei, só andei até o caixa e disse:

— Vou levar este.

Fui a pé até em casa. Não era perto. O caminho demorou uma hora e meia. Cheguei no apartamento provisório com aquela única sacola na mão e um peso insuportável nos ombros. Larguei a sacola no sofá e abri o computador.

DIA 283

Eu preciso confessar uma coisa. Meu coração parece que vai sair pela boca só de estar aqui escrevendo isso, mas preciso colocar pra fora porque esse segredo tá me matando. Eu nem ia te contar, mas tô sendo egoísta mesmo. Vou falar porque preciso. Eu tô triste e com vergonha, e eu tô querendo jogar tudo pro alto.

Eu te traí. Acabou. Eu falhei.

15

Isso aí deve estar pesado de carregar

Eu não tive coragem de publicar a minha confissão. Tampouco tive coragem de abrir a sacola que permanecia havia três dias no mesmo canto do sofá onde tinha sido largada naquele sábado.

No dia seguinte ao meu crime, eu não tirei o pijama. Passei o dia anestesiando a minha culpa com a TV ligada, pulando de um programa para outro, vendo não importava o quê, contanto que fosse alguma coisa. Só levantei para ir ao banheiro e pegar a pizza na portaria. Lá pelo meio da noite adormeci no sofá, no canto oposto ao da maldita sacola.

Na segunda-feira, tive que arrumar forças para levantar da cama e ir trabalhar. Abri a mala, que, àquela altura, ainda servia como meu armário provisório. Olhei para aquela meia dúzia de pedaços de pano que estavam na minha vida havia tanto tempo e senti um amor muito profundo por eles. Eram como amores antigos, que tinham passado por tudo ao meu lado. E eu tinha trocado aqueles parceiros tão leais, tão fiéis, por um casinho qualquer, de uma noite só, uma transa casual que nem tinha sido tão boa assim. Que merda.

Vesti a calça jeans e me senti culpada por algum dia ter desejado outra calça jeans na vida. Para quê? Aquela era perfeita, gostosa, tinha o meu cheiro, o meu molde. Coloquei uma camiseta velha e senti que ela me abraçou, me perdoando pelos meus deslizes, o que só me fez sentir ainda mais o peso da culpa. Por que eu tinha comprado aquela merda daquele vestido?

Eu tinha falhado no meu desafio. Tinha falhado comigo mesma e com todo mundo que acreditara em mim. Com os meus pais, os meus amigos, com os milhares de pessoas que estavam lendo o que eu escrevia todos os dias.

Eu queria acabar com o blog, parar de escrever, sumir sem deixar vestígios. E aí as pessoas iam perguntar o que tinha acontecido. Eu não ia responder, e elas iam imaginar que eu tinha comprado, ou morrido, ou os dois. E aí elas iam esquecer de mim, iam seguir a vida delas e eu ia seguir a minha. E fim. Mas a verdade era que tanta coisa na minha vida tinha acabado de uma vez que eu não consegui ter forças para acabar com mais essa.

Então eu guardei o meu segredo e a minha culpa só para mim. Segui postando as fotos que tinha feito na semana anterior naquela casa que não era mais minha. Eu não andava com inspiração nenhuma para escrever, então os posts ficaram mais curtos, mais diretos. Também não tinham o bom humor de antes, a piadinha, o sarcasmo. Era tudo mais seco e um pouco triste.

DIA 288

Quinta-feira cinza. Eu queria me encolher debaixo das cobertas e pensar na vida. Queria ouvir música velha na vitrola e cantarolar baixinho no banho quente. Mas eu preciso ir trabalhar.

Para minha surpresa, pouca gente notou qualquer mudança. Na caixa de comentários, não paravam de chegar mensagens entusiasmadas. Os pontos de exclamação contrastando com os meus pontos-finais.

“Tá linda! Adoro vir aqui todo dia pela manhã pra ver o que você tá usando!”

“Você fica tão chique de preto! Sexy e poderosa!”

E aí havia outras que me cortavam o coração.

"A sua força de vontade me dá esperança de que eu também vou conseguir ficar sem comprar."

Essas eram facadas no peito sem dó nem piedade. Que força de vontade?

Uma fraude. Isso que eu era. Eu tinha comprado. Eu tinha caído em tentação. Fraca. Covarde.

Fazia cinco dias que a sacola da Zara permanecia intacta no sofá de casa.

* * *

Na sexta-feira, enquanto eu desligava o computador para ir embora do trabalho, recebi uma mensagem do Dani.

"Acabei de sair de uma consulta que mudou a minha vida".

"Uma consulta? O que você tá sentindo?".

"Não, amiga. Não era médico, não. Eu fui num cara que lê aura. Aliás, marquei uma hora pra você nessa quarta. Oito da noite".

"Oi?".

"Amiga, vai ser bom pra você. Eu sei que você tá passando por um momento difícil. Talvez ele te ajude".

Eu não tinha contado pra ele sobre o meu crime. Andava evitando conversar e até atender as ligações do Dani. Ele sabia que eu estava bem pra baixo, mas achava que era só por conta do término.

"Vai por mim. Ele é ótimo. Acho que vai dar uma clareada nas suas ideias. É meu presente de Natal pra você".

Eu passei uma vida cultivando sentimentos totalmente contraditórios com relação às atividades esotéricas. Uma parte de mim tem absoluta certeza de que é tudo uma grande farsa, coisa de quem só quer ganhar dinheiro em cima de gente perdida como eu. A outra parte tem certeza absoluta de que é tudo verdade e um fascínio quase infantil por todas as histórias que envolvem o assunto, o que, por sua vez, me faz cultivar um medo profundo de ir a um troço desses e me ver confrontada com alguma informação para a qual eu não esteja preparada. Dani, ao contrário, é completamente adepto de todo tipo de misticismo.

"Ah, amigo, você sabe que eu não sou muito dessas coisas".

"O que é que você tem a perder, Joanna? A sua vida tá uma bagunça. Você tá pra baixo de um jeito que eu nunca vi. Qualquer ajuda vai ser bem-vinda. Nem discute. Você vai e eu vou com você".

Na quarta-feira, às sete em ponto, um táxi parou na porta da agência para me buscar. O Dani já lá dentro. Chovia torrencialmente em São Paulo, dessas chuvas que alagam tudo. Eu achei que era um sinal dos céus para a gente desistir, mas por um milagre conseguimos atravessar a cidade até a avenida Indianópolis em tempo recorde.

Paramos em frente a um casarão com cara de mal-assombrado. Ou talvez fossem só a chuva e a escuridão que estivessem lhe conferindo esse ar sombrio. Eu não queria nem entrar, mas o Dani praticamente me arrastou para fora do táxi.

Tocamos a campainha e a porta se abriu sozinha, exatamente como aquelas dos filmes de terror. Subimos os degraus que levavam ao segundo andar, onde havia uma sala de espera. Sentamos os dois juntos num sofá florido daqueles de casa de vó que combinam com a cortina e as almofadas, mas nesse caso não tinha nem cortina nem almofada.

Ficamos lá esperando um tempo, dez minutos talvez, até que a porta em frente ao sofá se abriu e dela saiu um homem alto e magro, de cabelos pretos. Ele parecia triste, mas ainda assim nos cumprimentou com um olhar e foi embora descendo a escada.

Pela porta entreaberta, ouvi uma voz chamar o meu nome.

— Joanna?

Fiquei de pé, esperando que o Dani fosse comigo. Mas ele permaneceu sentado, levantou o olhar na minha direção e disse:

— Relaxa que vai ser ótimo.

Abri a porta e dei de cara com um senhor de seus sessenta anos, de pele morena, cabelos brancos e sorriso aberto. Ele estava sentado atrás de uma mesa de madeira. Ao lado dele, um computador, desses antigos com uma tela grande, ocupava quase a metade da mesa. Definitivamente não era o que eu estava esperando.

Ao me ver, ele se levantou e estendeu a mão na minha direção.

— Tudo bem, querida?

— Tudo bem, e você?

— Me conta, o que te traz aqui? — ele perguntou enquanto apontava a cadeira para que eu me sentasse.

— Pra ser bem sincera, não é o que, é quem. Foi o Daniel que me trouxe, mas eu não sei bem o que eu tô fazendo aqui, não.

Ele riu.

— Pode deixar que a gente vai descobrir isso juntos.

Eu sorri sem mostrar os dentes, desconfiada.

— O Daniel te explicou o que eu faço?

— Ele disse que o senhor lê aura.

— Ótimo. Já é um bom começo. Você sabe o que é isso?

Fiz que não com a cabeça.

— A aura é o campo energético que existe ao redor de cada um de nós. Tudo o que a gente pensa e faz, as nossas emoções, planos, pensamentos e ações afetam esse campo energético. O que eu faço é olhar para o seu campo e tentar interpretá-lo para te ajudar a entender o que está se passando dentro de você e ao seu redor. Faz sentido?

Balancei a cabeça, fazendo que sim.

— Vamos lá, então.

Ele ficou em silêncio e fechou os olhos por alguns instantes. Quando os abriu outra vez, não olhava mais direto para mim, seu olhar estava perdido em algum lugar imediatamente ao meu redor. Observei quando as pupilas começaram a se movimentar, percorrendo a circunferência da minha cabeça até que repousaram no meu ombro direito.

— Sua aura é bonitinha, hein, moça? — ele disse, num tom alegre, surpreendentemente informal. — Mas seu coração está todo atrapalhadinho, né?

Certeiro. Mas, até aí, oitenta por cento das pessoas que chegavam lá deviam ir justamente porque o coração estava atrapalhado.

— Você é ariana com ascendente em sagitário. — O Dani tinha dado os meus dados quando marcou a consulta. — Impetuosa, porém inteligente. Você faz tudo no impulso, não pensa duas vezes. O que já te trouxe muita coisa boa, mas algumas vezes te mete em cada furada, né?

Mais um ponto para o moço da aura.

Ele ficou um tempo falando de mim. Do que eu era, do que eu não era. Do que eu gostava, do que eu não suportava. Falou que eu não tinha nenhum carma, o que tomei como algo positivo. Mas disse que a minha vida era trabalhar.

— Parece que você veio nessa vida para isso — foram as palavras dele. Eu segui muda, tentando não reagir a nada do que ele dizia para não dar nenhuma pista. Ele não pareceu se incomodar com a minha aparente apatia. — Vamos falar de vida amorosa?

Eu arqueei as sobrancelhas, como quem diz "Que vida amorosa?". Ele seguiu.

— Olha só. Eu sei que você ainda está aí cheia de dúvida se fez a coisa certa, então deixa logo eu te falar. Essa relação já era para ter acabado há muito tempo. E essa foi a melhor coisa que podia ter acontecido na vida de vocês. Vocês simplesmente não funcionam juntos. Eu sei que os seus amigos queriam vocês juntos, eu sei que a sua família queria que vocês estivessem juntos. Mas ninguém estava ali naquela casa com vocês. Ninguém estava vendo que vocês andavam trazendo à tona o pior um do outro. Ele não é assim, e você também não. Então põe isso na sua cabeça: acabou, minha filha. Sacode a poeira e bola pra frente.

Minha feição claramente mudou. A coisa estava começando a ficar específica demais para ser ignorada. Ele percebeu o repentino sumiço da minha *poker face* e me lançou um sorriso malandro, confiante, com uma mensagem clara: *Tá vendo como eu sei o que eu tô fazendo?*

Foi aí que a conversa mudou de tom. Ele ficou sério e, pela primeira vez, olhou diretamente nos meus olhos.

— Agora, vamos falar a verdade. Você disse que não sabia por que tinha vindo aqui, mas eu e você sabemos que não é verdade. — Dei um sorriso amarelo. Vi quando seu olhar desviou novamente dos meus olhos e pousou bem em cima da minha cabeça. — Isso aí deve estar pesado de carregar.

Eu intuitivamente olhei para cima. Mas não tinha nada lá. Quando meus olhos se voltaram para ele, os dele me olhavam de volta com um brilho opaco que, de alguma forma, me parecia compaixão.

— Eu vou te falar uma coisa e quero muito que você se lembre disso. Os nossos erros não nos definem.

Alguns segundos de silêncio se seguiram, talvez para que eu pudesse digerir o que ele tinha acabado de dizer, talvez porque ele precisasse de algum tempo para captar mais informações na minha aura. Até que ele falou novamente. Sua postura tinha mudado, seus gestos se tornaram mais acolhedores, parecia que tinha tirado o chapéu de leitor de aura e resolvido me dar um conselho de amigo.

— Todo mundo erra. Faz parte da vida. Você não é nem melhor nem pior porque errou. Mas o erro é uma oportunidade, uma bifurcação na estrada. O que te define é o caminho que você vai querer seguir agora. O que a gente resolve fazer com os nossos erros, o que a gente aprende com eles, a pessoa que nos tornamos depois deles, é isso que de fato importa.

Meus ouvidos estavam abertos, pupilas dilatadas, eu estava inteiramente presente ali. Bem antes de ele falar, um vento frio entrou pela janela que estava aberta e fez os pelos do meu braço se arrepiarem.

— A sua culpa não vai te levar a lugar nenhum, minha filha. Ela é só um peso inútil que está te impedindo de voltar para o caminho da pessoa que você estava se tornando. Levanta do sofá e volta para o seu caminho.

Meus olhos se encheram de lágrimas. Ele estendeu a mão na minha direção. Eu abracei a mão dele com as minhas, na esperança de que ele se sentisse abraçado também.

Quando acabou a sessão, eu abri a porta da sala para ir embora e ele disse:

— Vai ficar tudo bem. — Eu confirmei com a cabeça.

O Dani ainda me esperava no sofá de cortina da sala de espera.

— E aí?

Dei um abraço apertado nele e agradeci.
— O que ele falou?
— Ainda tô processando. Um dia eu te conto.
— Falei que ele era bom!
Eu ri.
No dia seguinte, comecei a procurar um apartamento.

16

Acho que a sua avó ia ficar feliz

Achar um lugar para morar em pleno dezembro se provou uma missão impossível. A sensação que dava era de que até os corretores de imóveis já tinham entrado no modo recesso e certamente estavam metidos em algum amigo secreto ou *happy hour* da firma. Bati perna por São Paulo inteira, liguei para todos os telefones que encontrei em plaquinhas de "Aluga-se", dessas que se veem da calçada, cravadas em algum canteiro, logo ao lado das portarias, mas ninguém me atendia. Me resignei ao fato de que ia terminar 2011 sem um apê alugado para chamar de meu.

Enquanto isso, a sacola da Zara permanecia intacta, encostada no mesmo canto do sofá. Eu ainda não tinha decidido o que fazer com ela, nem com o vestido novo que permanecia lá dentro, embalado no papel de seda, mas optei por mantê-los ali, bem à vista, para eu não esquecer que precisava fazer uma escolha. A minha bifurcação estava lá e eu precisava escolher um caminho.

Andava pensando muito a respeito do que aquela compra significava. Eu chegara em casa naquele dia pronta para usar a sacolinha como desculpa para jogar tudo para o alto. Fracasso, derrota, vergonha, culpa. As palavras me chicoteavam por dentro.

Mas, depois do papo com o cara da aura, me obriguei a enxugar as lágrimas, largar a pena de mim mesma de lado e encarar racionalmente o que eu tinha feito.

Comecei a pesquisar sobre recaídas. Ficava horas na internet lendo artigos, vendo reportagens, tentando entender de onde vinha esse desejo de voltar a fazer aquilo que você sabe que não faz bem. Logo percebi que não estava sozinha nessa. Recaídas eram praticamente a norma. Se livrar de um vício, seja ele qual for, que está tão entranhado na gente, na cabeça, na rotina, na vida, é um troço difícil para caralho, e recaídas muitas vezes são parte desse processo.

Numa dessas minhas andanças online, à noite, sentada na cama, com a luz do quarto apagada e o brilho do laptop aberto no colo iluminando o meu rosto, dei de cara com um artigo. O moço que escrevia era psicólogo especializado no tratamento de dependências químicas. Ele estava falando sobre como evitar recaídas. Não achei que seria útil, uma vez que eu já tinha feito a merda, mas segui lendo.

Lá pelas tantas, ele dizia algo mais ou menos assim: "Lapso é quando o paciente retorna ao uso da droga ou do álcool depois de um período de abstinência. Mas o lapso não é considerado uma recaída a não ser que esse indivíduo não volte a fazer uso frequente daquela substância".

Eu me senti como se tivesse encontrado a última peça de um quebra-cabeça. Estava havia dias de frente para a tal bifurcação que o cara da aura mencionara, olhando para as duas estradas que a sacola da Zara tinha me apresentado. Mas só naquele momento, depois de ler aquelas palavras, foi que eu entendi o que cada caminho representava. De um lado, tinha o caminho da recaída, de usar aquela compra para trazer o passado de volta, para reinaugurar um padrão que eu tinha passado meses lutando para deixar para trás. Do outro lado, tinha o caminho do lapso, de olhar para aquele episódio quase como uma falha inerente ao processo de se livrar do vício. Um caminho que reconhece a minha humanidade e sua consequente incoerência, imperfeição.

Por incrível que pareça, o caminho do lapso me parecia o mais difícil. Recair era simples. Não exigia movimento. Implicava cair e lá ficar, parada, por sei lá quanto tempo. Até que algum dia, talvez, eu reunisse forças para, mais uma vez, tentar mudar. O lapso, não. Ele exigia que eu fosse forte agora, que eu me levantasse do chão. E foi isso que eu decidi fazer.

Aqueles dez meses sem compras existiram e já tinham me mudado. E eu não podia desistir da nova Joanna que eu estava me tornando. Então me lembrei de tudo o que eu vivera até ali, da alegria de redescobrir a moda sob a ótica da minha criatividade, do orgulho de pagar as minhas dívidas, dos desafios que eu tinha superado.

O lapso também me fez enxergar o futuro de um outro jeito e perceber que a estrada, dali para a frente, também não ia ser uma linha reta. Eu ia fazer besteira de novo. Talvez não naquele ano, mas um dia eu voltaria a comprar — mais precisamente no dia 3 de março de 2012, em três míseros meses. E, quando esse dia chegasse, não ia ter milagre. Não ia ter "e aí ela viveu feliz para sempre e nunca mais gastou o que não devia". Eu teria que estar mais vigilante do que nunca. E talvez fosse bom começar a pensar em arrumar uma terapia...

* * *

As coisas estavam voltando a andar. Aos poucos, retomei minha vida social e uma dieta que incluía fibras naturais.

O mês passou rápido, e de repente já era a semana de Natal. Na véspera da minha ida para o Rio, onde eu passava o Natal praticamente todos os anos, me sentei no chão da sala do apartamento improvisado para fechar a minha mala.

Eu tinha passado no apartamento antigo no dia anterior para pegar tudo o que precisava para a viagem. Já tinha avisado para o Felipe que estava procurando apartamento e que, se tudo desse certo, no início do ano eu já tiraria as minhas coisas de lá e liberaria o apê para ele. "Tudo bem. Me avisa", ele respondeu numa mensagem de texto tão direta e reta que era difícil entender se havia algum sentimento guardado ali.

Na hora de fechar a mala, dei de cara com a sacola da Zara encostada no sofá. Mesmo depois das minhas reflexões, eu ainda não tinha decidido o que fazer com ela. Eu não queria usar o vestido, só de pensar em colocá-lo no corpo já me dava um embrulho no estômago. Mas também não podia devolver. Tinha saído da loja com tanta pressa naquele dia que esquecera de pegar a nota fiscal. Ele também não podia virar parte da mobília da casa. Estava na hora de resolver o que fazer com aquilo. Num ímpeto, sem saber direito por quê, catei a sacola toda e joguei dentro da mala. No dia seguinte, tranquei a porta do apartamento provisório e embarquei para o Rio de Janeiro.

* * *

A minha família não é das mais tradicionais e, como tal, também não é chegada a comemorar datas como o Natal da forma mais convencional. Já teve ano em que cada um foi para um lado e já teve ano em que todo mundo resolveu se reunir. Já teve ano em que a gente se dividiu em núcleos menores e já teve ano em que a gente comemorou todo mundo junto pelo menos três vezes. Quando a reunião é completa, ela geralmente inclui: meus pais, meus quatro irmãos, seus respectivos parceiros, meus sobrinhos e as duas ex-mulheres do meu pai, também conhecidas como mães de três dos meus quatro irmãos. Mas, para falar a verdade, raras foram as ocasiões em que isso aconteceu. Para minha sorte, 2011 foi uma delas.

Desde que me mudara para São Paulo, toda vez que ia ao Rio eu montava meu acampamento na casa da Marcela, minha irmã do meio, aquela alma bondosa que me presenteou com os vestidos lá no início do meu desafio. Eu amo ficar lá. A casa dela é cheia de movimento, cheia de vida, cheia de gente. Eu amo os papos que surgem com quem quer que seja que esteja de passagem por lá, mas amo ainda mais os nossos silêncios confortáveis do meio da noite assistindo à televisão juntas. É que, depois de três anos me hospedando lá a cada dois ou três meses, aquela casa tinha virado meio minha também. Resumindo: eu saí de São Paulo sem casa e fui passar esses dias naquela casa carioca que não era minha, mas era um pouco.

A ceia naquele ano também seria por lá. E todo mundo tinha confirmado presença. Eu não tenho uma relação forte com Natal, mas estava animada. Queria rever as pessoas, sentir aquele conforto de estar rodeada de gente que me conhece desde antes de eu me entender por gente.

Lá pelas sete da noite, o povo começou a chegar. Aquele núcleo familiar meio maluco que mencionei, mais uns outros núcleos conectados. Rapidinho, a sala ficou cheia e a primeira hora do evento foi quase toda dedicada a cumprimentar as pessoas. Ali no meio tinha gente que eu via todo dia e gente que eu não via nunca, o que obviamente gerava algumas conversas constrangedoras.

— Oi, tudo bem? Como você tá?

— Tô bem, e você?

— Tudo certinho! E Felipe? Não veio? Tá com a família dele?

Eu tentava ser rápida na resposta, procurava arrancar o Band-Aid de uma vez para ver se doía menos.

— A gente terminou e eu não tenho notícias dele. Mas tá tudo bem — eu dizia com um sorriso amarelo, e emendava com alguma pergunta para não dar chance à pessoa de fazer cara de pena e perguntar o que tinha acontecido.

A ceia na casa da Marcela é sempre um espetáculo. A farofa e o purê de batata-baroa já viraram delícias natalinas tradicionais. Lá pelas dez da noite, a mesa está posta e cada um vai fazer o seu prato e achar um lugar para sentar. A mesa de jantar não comporta todos os convidados, então o povo vai se ajeitando no sofá ou nas poltronas, comendo com os pratinhos no colo, com cuidado para não sujar a roupa bonita.

Dessa vez, eu calhei de sentar do lado da Fabiana, ou, como todo mundo a conhece, a Fafá. A Fafá é ex do meu pai, mãe dos meus irmãos do meio, a Marcela e o André. Eu sei, é complicado, mas a minha árvore genealógica não é a questão aqui. A Fafá é dessas pessoas que cultivam um genuíno interesse por todas as coisas. Ela gosta de conversar, de ouvir os outros, escutar as histórias, e tem um superpoder de lembrar tudo, armazenar tudo o que já ouviu, descobriu, conversou.

Fazia tempo que eu não a encontrava. Desde antes do blog começar. Mas fiquei feliz em saber que ela andava acompanhando tudo à distância.

— Eu achei genial! — ela disse com aquele entusiasmo que lhe é tão característico. — E como você escreve bem, hein, menina? Às vezes acho que me divirto mais com seus textos do que com suas fotos. — E emendou: — A sua avó ia ficar muito orgulhosa de você estar carregando o legado dela.

Respondi com um olhar de interrogação.

— Ué. Você não sabia? A dona Meri era blogueira de moda antes mesmo da internet existir, minha filha.

Continuei sem entender.

— Como assim, Fafá? Eu não tô sabendo que faço parte de uma dinastia blogueirística.

— Passa lá em casa amanhã que eu te mostro.

Eu insisti para saber do que se tratava. Se tem uma coisa que enfurece a pessoa de Áries é contar uma história pela metade. Mas ela fez mistério. Disse que era o tipo de coisa que eu tinha que ver para crer.

A noite seguiu seu rumo, com direito a torta de nozes com baba de moça, minha parte preferida de todo Natal.

* * *

No dia seguinte, conforme combinado, às onze da manhã, bati na porta da Fafá.

Ela estava me esperando com um chazinho pronto e um álbum de fotos em cima da mesa da sala.

— Senta aí, que eu vou na cozinha pegar um bolinho pra gente.

Enquanto ela buscava o bolo, eu me aconcheguei na cadeira em frente à mesa e abri o álbum. Era um daqueles antigos, com as fotos em preto e branco coladas em páginas de papel pardo. De tão antigo, a cola já tinha perdido o efeito e algumas fotos caíam para dentro com o movimento das páginas sendo viradas.

Eu estava na segunda página quando a Fafá voltou da cozinha.

— Que que é isso?

— É a sua avó.

Eu já tinha visto fotos da minha avó com aquela idade, lá pelos seus vinte e poucos anos. Era linda, dona Meri. Esguia, de cabelos bem pretos e cacheados, olhar sagaz, dentes bonitos. Ela já era casada com meu avô naquela época.

As fotos não pareciam um álbum comum. Não mostravam nenhuma reunião de família, nem de amigos, nem de crianças. Não tinha foto de viagem, nem de aniversário, nem batizado ou casamento. Só tinha ela. Uma página depois da outra, mais e mais fotos dela, em algum canto na frente da casa onde morava. Todas de corpo inteiro, cada uma com uma roupa diferente.

— Eu sei que é ela. Mas o que são essas fotos todas?

— Sua avó registrava praticamente todos os looks dela. Esse álbum era o *Um ano sem Zara* da dona Meri.

Eu mal consegui acreditar no que os meus olhos estavam vendo. Eram registros quase diários, numa época em que iPhones e câmeras digitais nem sonhavam em existir. No verso das fotos ela anotava a data, a descrição do look e a ocasião em que ele havia sido usado. Numa delas, usava um vestido longo, num tecido que parecia tafetá, com uma estampa xadrez. Todas as fotos eram em preto e branco e não dava para ver as cores das roupas, mas em algumas delas ela fazia questão de deixar registrado:

---

22 de abril de 1945

Vestido de tafetá em padronagem *vichy* azul e branco para jantar de noivado de Lulu e Carlos Alberto.

Noutra, ela usava um macaquinho curtíssimo, com uma estampa alegre das letras do alfabeto.

---

14 de janeiro de 1945

Dia no Iate Clube com as meninas. Salopete de linho estampado com mangas bufantes.

Enquanto eu passava cuidadosamente de uma página para outra, reparando em cada foto, lendo cada legenda no verso, a voz da Fafá soava ao fundo, preenchendo as lacunas e respondendo a perguntas que eu ainda nem tinha conseguido fazer.

— Quando sua avó morreu, eu ajudei a limpar o apartamento dela, organizar as coisas. A gente jogou muita coisa fora, mas esse eu achei importante guardar. Meri era apaixonada por moda. Ela que desenhava todas as roupas dela, sabia? E mandava fazer com uma costureira. Teve uma época que ela até começou a escrever uma coluna para um jornal aqui do Rio, falando das tendências, ensinando a recriar as ideias que vinham de Paris.

— Mas ela não repetia uma roupa! Como é que pode?

— Você que pensa! Repara bem. Olha essa estampa aqui. Reconhece ela? — Fafá virou duas páginas e lá estava a estampa de novo. Numa das fotos era um vestido, na outra, uma saia. — A sua avó era mestra em transformar as coisas. Mexia nas roupas em casa mesmo, alterava, cortava, juntava uma coisa com a outra. Ficava impecável, ninguém dizia que não era novo.

Tomamos o chá e comemos o bolo e analisamos o álbum de cabo a rabo. Ao final, Fafá me levou até a porta do apartamento e, com o álbum nos braços, disse:

— Leva pra você, amorinha. Acho que a sua avó ia ficar feliz.

Fui embora com o álbum nas mãos, tomando cuidado para não deixar nenhuma das fotos soltas cair no chão.

À noite, deitei na cama do quarto de hóspedes da minha irmã e, sob a luz do abajur, folheei de novo as páginas amareladas do álbum da vovó Meri.

Fiquei tentando entender para que ela queria aquelas fotos. Por que era tão importante registrar aqueles looks? Ainda mais numa época em que tirar uma foto não era uma coisa trivial. Tinha um processo, precisava ter filme, ter alguém para fotografar, ter o dinheiro para mandar revelar e a paciência para ver o resultado pronto só dias depois. Por que se dar todo esse trabalho para fotografar roupa?

Senti uma tristeza por não tê-la mais ao meu lado para fazer todas essas perguntas. Essas e outras. De onde ela tirava suas inspirações? Esse vestido era confortável? E essas pernas inteiras de fora? Todo mundo já usava isso? O vovô dava opinião? E esse vestido curto? Como que virou essa saia longa?

Algumas dessas perguntas iam para sempre ficar sem resposta. Mas outras talvez eu pudesse tentar responder olhando para dentro. Talvez elas estivessem escondidas nas nossas inquestionáveis semelhanças. Quase setenta anos depois, sou eu que me fotografo todos os dias. Faça chuva ou faça sol. E por quê? Sim, eu tinha feito uma promessa. Mas ela não tinha nada a ver com me fotografar todos os dias. E por que é que eu me fotografava? Por que é que, justamente no ano em que eu resolvi ficar sem comprar, no ano em que eu não tinha nada de novo para vestir, decidi criar um registro diário de tudo o que vestia?

Peguei o laptop e abri a página do blog. O meu álbum digital e o álbum da dona Meri se encontravam pela primeira vez, lado a lado, na cama. Voltei até o primeiro dia e fui olhando um a um. Datas, fotos e legendas. A cada roupa, eu era transportada para um lugar, uma situação, uma memória. O Carnaval em que choveu todos os dias, a minha festa de aniversário na sala de casa, o domingo gripada no sofá, a noite acordada em Cannes.

As peças separadas, guardadas no armário, não tinham alma nenhuma, e talvez por isso eu não lhes desse, até então, muito valor. Eram coisas sem significado, não me levavam a lugar nenhum. Eram esquecidas e substituídas assim que a adrenalina da compra e o apelo de "novas" começava a se apagar depois de dois ou três usos. E foi assim que eu as enxerguei por tanto tempo. Até dez meses antes, eu vivia lotando o armário de coisas, algumas caras, outras baratas, mas sem valor. Vivendo soterrada de roupas, mas eternamente paralisada pela sensação de não ter o que usar. Com a minha criatividade adormecida, anestesiada pelo fluxo constante do novo.

Foi preciso parar de comprar. Foi preciso ter que me virar com a abundância estática do que eu já tinha. Foi preciso, numa decisão intuitiva e inconscientemente genial (já passamos da fase da falsa modéstia, né?), me obrigar a me fotografar todo dia. Foi preciso tudo isso para que eu enfim pudesse me ver e entender o poder que exerço sobre as roupas e quanto ele é maior do que o poder que elas exercem sobre mim.

Minhas roupas agora tinham significado. Eram instrumentos para minha criatividade, parceiras de vida, de viagens, de trabalho, de momentos, tinham a capacidade de desencadear memórias, ideias e emoções. E talvez tenha sido assim para a vovó também. Talvez, na impossibilidade de registrar cada evento especial, cada festa, cada encontro com amigos, cada aniversário e batizado, ela fotografasse a si mesma e a roupa que vestia. E, assim, era capaz de acessar todos aqueles momentos. Porque cada look registrado dentro daquele álbum guardava em si um álbum inteiro.

E foi aí que eu decidi o que fazer com aquela sacola da Zara escondida entre as roupas na mala. Eu não precisava dela. Para mim, ela não tinha valor. Mas eu podia transformar essa história, tornar essa minha memória ruim a lembrança boa de alguém.

* * *

Dois dias depois, o *Um ano sem Zara* completou a marca de trezentos dias. O meu álbum completava trezentas fotos, e agora só me restavam mais 66 espaços ainda por preencher.

Para o dia trezentos, não teve um megaplanejamento. Não teve saia dos quinze anos nem look rebuscado. A inspiração veio de uma foto que encontrei caída dentro do álbum da vovó e, desde que vi pela primeira vez, ainda lá na casa da Fafá, eu sabia que tinha que ser aquela.

Na foto, Meri estava em pé, encostada numa pilastra de pedra na frente da varanda da casa da Urca, onde passei boa parte das férias na minha infância. O sol a iluminava de frente e fazia seus olhos se espremerem e sua testa franzir. Mesmo assim, ela sorria. Era uma das poucas fotos cujo verso não trazia nenhuma explicação, nenhuma legenda, nenhuma data.

O look não era particularmente especial. Não era dos mais lindos, nem dos mais originais, nem dos mais chiques do álbum. Mas, quando o vi pela primeira vez, tive que piscar algumas vezes para acreditar no que estava vendo.

Meri usava um vestido estilo chemise listrado em preto e branco, ou pelo menos, dois tons contrastantes o suficiente para parecerem preto e branco numa foto em preto e branco. A gola estava abotoada até o pescoço, e na cintura um cinto fino preto tratava de evidenciar suas curvas. Não, não era o look mais lindo do mundo. Mas era um look que parecia tirado diretamente do meu armário. Aliás, do meu armário, não, da minha mala de viagem.

Eu tinha aquele vestido chemise. Igualzinho. Listrado, com bolsos na altura do peito, com a golinha estruturada, com a barra parando no meio da coxa. E era assim mesmo que eu mais gostava de usá-lo. Sem frescura, só ele, com um cinto fino na cintura para dar uma bossa. Nesse dia trezentos, não tinha como não ser ele.

Usei o vestido como na foto da vovó, com cinto e só. Me permiti duas atualizações: no lugar das sandálias de salto grosso, usei um mocassim preto e branco e adicionei óculos escuros vermelhos, só para trazer um toque de cor. E, já que era uma homenagem, resolvi ir até a Urca para fotografar. A casa ainda está lá, mas havia muito tempo era habitada por novos donos. Tive que me contentar em fazer as fotos ali perto, na avenida Portugal, com a baía de Guanabara e o Cristo Redentor ao fundo.

Naquela noite, com as fotos prontas, sentei na frente do laptop para escrever o post. Falei sobre a descoberta do álbum e incluí a foto que inspirou o look 300, mas me peguei sem muita vontade de escrever sobre o look em si. A semelhança entre os dois era tão óbvia que não demandava explicações. Preferi falar de como eu estava grata por ter descoberto esse elo entre mim e minha avó e por ela ter me lembrado de que roupa boa é aquela que vem carregada de significado.

Alguns dias depois, embarquei de volta para São Paulo com a mala um pouco mais leve. O voo era de manhã bem cedo, e eu preferi sair sem acordar ninguém. Antes de bater a porta, deixei a sacola da Zara em cima da mesa da sala. Ao lado, um cartão endereçado à Marcela.

"Obrigada por ter acreditado em mim lá no começo, quando nem eu acreditava. Chegou a minha vez de retribuir. Não são três vestidos, mas é um. Espero que, lá na frente, ele te lembre de coisas boas. E de mim.
Te amo."

17

Beijo e até amanhã

Dia 5 de janeiro, eu já estava de volta a São Paulo. Dia 10, eu já estava de cabelo cortado. Dia 28, eu já tinha arrumado um apartamento novo para morar. O ano mal tinha começado e a minha lista de resoluções se resumia a fazer a vida andar.

O apartamento era pequeno, um quarto, uma sala, um banheiro; somando tudo, devia ser um quarto do tamanho do que eu dividia com o Felipe. Mas ficava num prédio lindo, daqueles modernistas com janelas grandes que vão do chão ao teto.

Na primeira vez que eu entrei lá, me apaixonei pela sala inundada de sol, com os raios que reluziam no chão de taco. Os dois arcos de tijolinhos brancos que ficavam bem em frente à janela conferiam ares de castelo medieval à sala pequena. O quarto era grande — comparado ao resto da casa —, o que significava que eu não ia precisar comprar outra cama. Mas a cozinha vinha com um fogão já embutido, o que significava que eu ia ter que vender o meu (uma vez que o Felipe já tinha o dele e já havia me falado que não ia querer ficar com os dois).

O prédio ainda tinha uma área lá no terraço, no trigésimo andar, aberta a todos os moradores. Tinha um tablado de madeira e uns bancos para o pessoal sentar no sol. Não era a beira da praia, mas a vista do mar de prédios da avenida Paulista não era de se jogar fora.

No dia em que assinei o contrato, eu nem cabia em mim de tanto orgulho. Era a primeira vez na minha vida que eu ia morar sozinha. Era a primeira vez que eu ia poder decorar uma casa sozinha, decidir de que cor pintar as paredes, quais móveis comprar e o que ia ter para o jantar. Sem perguntar para ninguém, sem ter ninguém para reclamar, para julgar, para opinar.

Aquele apezinho era meu, aquele contrato de aluguel era um grito de liberdade, de independência, e o maior símbolo de que eu tinha virado o jogo e uma nova vida estava começando. Eu me sentia pronta para virar a página. Tão pronta que fiz uma coisa que eu nunca faço. Desci o elevador do meu futuro prédio e peguei o celular, abri a página de contatos e digitei: Arth... O nome dele apareceu. Resgatei a nossa conversa lá em Cannes na memória e escrevi com o coração acelerado e um pavor adolescente de soar muito tosca.

"Oi. Lembra de mim? Tava aqui me perguntando onde tem um samba bom nesta cidade e lembrei de você."

Fechei o telefone sem esperar resposta e caminhei até o ponto de ônibus para voltar para o trabalho. Quando cheguei à minha mesa, tirei o celular da bolsa e tinha uma mensagem.

"Nossa, pensei em você essa semana. Tem um bom nessa sexta. Bora?"

* * *

Faltava um mês para o *Um ano sem Zara* acabar, e finalmente aquela mulher cheia de dívidas, com o celular bloqueado por falta de pagamento, parecia ter ficado para trás.

Fazia mais de seis meses que a minha conta não sabia o que era vermelho. Com as dívidas pagas, pude começar a entender direitinho o que entrava todo mês, para onde esse dinheiro ia e como eu podia economizar. Comecei a investir uma parte do meu salário logo que ele batia na conta, para não correr o risco de gastar tudo, e me obrigava a viver o resto do mês com o que sobrasse. No meio disso tudo, eu ainda tinha conseguido ser promovida. E agora estava alugando um apartamento com a consciência tranquila de que ia conseguir bancá-lo sozinha.

Só tinha um porém: o inquilino anterior só ia poder sair do apartamento no fim de fevereiro, então, até lá, eu precisava continuar lá no apê provisório. Tudo bem, eu já tinha sobrevivido dois meses naquele lugar, mais um não ia fazer diferença.

Passei esse último mês dividida.

Metade de mim queria que o tempo passasse rápido, que a minha nova vida, na minha nova casa, começasse logo. A outra metade queria que ele se arrastasse para sempre. Fevereiro era o último mês do desafio e, consequentemente, do blog. Era a reta final do ano que tinha mudado a minha vida de jeitos muito mais profundos do que eu teria sido capaz de imaginar onze meses antes.

As pessoas começaram a me perguntar o que eu ia comprar no dia em que o desafio terminasse. Com certeza eu já devia ter uma lista de coisas de que estava precisando... Mas eu não tinha. Eu não estava precisando de nada e não tinha a menor vontade de comprar nada. Eu estava era com medo. Medo de me perder nesse novo mundo em que eu era livre para comprar o que quisesse. Afinal de contas, eu estava aprendendo a viver sem Zara. Será que eu ia aprender a viver *com* Zara? Eu gostava tanto da Jojo que tinha me tornado não comprando... Será que ia gostar da Jojo que voltava às compras?

E o blog? Para onde ele iria? Essa era a outra pergunta que ecoava dentro de mim. A ideia desde o início era que ele tivesse começo, meio e fim. Do dia 1 ao dia 366 e acabou. Eu não sou blogueira, nem tenho jeito para isso. Já tinha quase um ano de *Um ano sem Zara* e eu nem sabia fazer pose direito ainda. Ficava revezando umas quatro ou cinco diferentes que eu achava que funcionavam e olhe lá. Pensar na vida sem o blog também me dividia. Ele já tinha se tornado parte da minha rotina. Eu amava todo o ritual. Me arrumar, fotografar, editar, escrever. E depois ler os comentários, receber as opiniões sobre os looks, ouvir as histórias de gente que eu nem conheço. Eu ia sentir falta daquilo. De não me sentir sozinha nesse mundo do consumo. Por outro lado, eu também estava cansada. Era um trabalho enorme, não remunerado e sem folga. E vinha acompanhado de uma pressão e uma cobrança que, preciso confessar, às vezes me jogava para baixo. O blog tinha chegado a um nível de fama que atraía de tudo, inclusive gente que entrava lá só para espezinhar. Por sorte eram poucos, mas ainda assim falavam alto, e, quando eu estava mais fragilizada, aquilo tudo tinha o poder de me pegar de jeito.

Até por isso, resolvi que partes da minha vida precisavam ser só minhas. O fim do meu namoro. O meu lapso. O Arthur. Talvez um dia eu quisesse contar, mas não ali, naquele momento.

Tentei passar o mês sem pensar muito nessas coisas todas. Trabalhei, resolvi o que tinha que resolver para a mudança, comecei a me divertir de verdade depois daquele período de luto pós-término.

Eu seguia postando todo dia, mas não aguentava mais aquele esquema de ter que ir à casa antiga toda semana para fotografar. Estava na hora da vida andar, e entrar naquele apê era como estar algemada ao passado. Então, naquela reta final, desencanei um pouco de manter as aparências e comecei a fotografar na rua mesmo. Afinal de contas, o que é que eu tinha a perder? Eu literalmente não devia mais nada a ninguém.

E foi nesse clima de me libertar das amarras do passado que o dia 366 enfim chegou.

Como em qualquer final de novela, tudo aconteceu ao mesmo tempo. O último dia do *Um ano sem Zara* caiu exatamente no mesmo dia da minha mudança. Ou seria o contrário? O dia da mudança caiu no último dia do *Um ano sem Zara*. O que importa é que era muita mudança para um dia só.

Eu já tinha combinado o esquema com o Felipe. Ele passaria o dia fora para eu poder encaixotar tudo. Também já tinha combinado com o Dani e a Gabi de irem comigo para ajudar a organizar a bagunça e me oferecer um ombro amigo caso o furacão de emoções ficasse intenso demais.

E assim, às onze da manhã do dia 2 de março de 2012, eu abri a porta daquele apartamento pela última vez.

Quis chegar mais cedo que os meus amigos para ter um tempo sozinha por lá. Era o último dia do blog, e eu queria poder fotografar uma última vez ali na parede ao lado da janela. E foi isso que eu fiz.

Eu tinha acabado de terminar as fotos quando o interfone tocou com o Severino me avisando que Dani e Gabi estavam subindo.

O dia foi mais leve do que eu tinha imaginado. Como era de se esperar, a maior parte dos meus pertences estava dentro do meu armário, e foi lá que a gente passou boa parte do dia, com as malas abertas no chão do quarto, gradualmente sendo preenchidas por aquelas roupas que tinham sido minhas parceiras fiéis durante aqueles 366 dias. Enaltecemos aquelas que ajudaram a construir os looks mais icônicos e chegamos juntos à conclusão de que, se alguma roupa não tinha sido usada naquele ano inteirinho, ela nem merecia ir para a casa nova.

Oito caixas e cinco malas depois, o empacotamento chegava ao fim. Felipe tinha mandado mensagem dizendo que ia emendar o trabalho num *happy hour* e devia voltar depois da meia-noite.

"Pode ficar à vontade e fazer as coisas no seu tempo. Eu sei que hoje é um dia importante. Tô muito orgulhoso de você."

Eu estava precisando ler aquilo. A nossa história havia acabado, mas tinha sido bonita. E aquele ano tinha um pouco dele também.

"Obrigada por tudo", respondi.

Já era o fim do dia. Nós três estávamos mortos de cansaço e de fome, então pedimos uma pizza. Meia hora depois o entregador chegou. Eu desci para pegar a pizza, e, quando voltei, Dani e Gabi me aguardavam na sala com uma garrafa de champanhe gelada e três copos de requeijão.

— Foi mal, a gente já embrulhou as taças, mas pelo menos a champa tá gelada.

Eu ri. A Gabi abriu o champanhe, o Dani cortou a pizza, eu peguei uns pratos na cozinha e comemos sentados no chão, usando a mesa de centro como mesa de jantar.

— Um brinde! — Gabi disse, levantando o copo de requeijão cheio de champanhe até quase a boca.

— A tudo o que você construiu esse ano, amiga — falou o Dani, também levantando seu copo.

Gabi completou:

— E ao recomeço!

— À minha conta no azul!

E brindamos e bebemos.

Lá pelas onze da noite, eles foram embora. O Dani ia viajar cedo no dia seguinte, e a Gabi estava quase dormindo no sofá.

— Podem ir, eu vou ficar mais um tiquinho.

— Jura? Você vai ficar bem?

Fiz que sim com a cabeça e acompanhei os dois até a porta.

Sentada sozinha no chão da sala, abri o laptop que tinha trazido comigo do apê temporário e comecei a escrever. Eu não tinha planejado nada. Até cinco minutos antes, eu nem sabia o que ia dizer. Mas, assim que aquela tela em branco apareceu na minha frente, meus dedos começaram a digitar como se tivessem vontade própria, como se estivessem conectados com uma parte de mim que eu, conscientemente, não conseguia acessar, mas estava lá.

DIA 366

Chegamos.

Eu gostaria muito de falar "finalmente", mas a sensação está muito mais para "já?".

Eu nunca pensei que um dia, sentada no chão de madeira do meu quarto, olhando para as portas abertas do meu armário velho, abarrotado de roupas que eu não sabia usar, eu teria uma ideia que mudaria a minha vida. E é estranho porque parece que foi ontem, mas também parece que foi em outra encarnação.

Nesses 366 dias, tudo mudou. Tudo mesmo. Não, não foi só o meu jeito de me vestir, nem o jeito de gastar/poupar/lidar com o dinheiro. Ah, se fosse só isso! Se fosse só isso, talvez este ano tivesse sido mais fácil, mas não teria sido tão importante.

Este ano teve de tudo. Teve dias de glória e dias de luta, dias de choro e dias de explosão de alegria, teve dor e amor, e erros e acertos, e culpa e orgulho. Teve inícios e teve finais. Mas com tudo a gente aprende. E eu aprendi muito.

Aprendi que eu não sou a única desequilibrada desse rolê de consumismo. Eu me sentia tão sozinha antes de criar este espaço aqui... Me achava uma idiota por não conseguir me controlar, por tomar sustos com o cartão de crédito, por viver administrando o vermelho da conta enquanto os meus amigos compravam a casa própria e faziam viagens ao redor do mundo. E eu esperando o busão. Mal sabia eu que havia tanta gente aí pelo mundo que também estava vivendo aquilo tudo que eu estava vivendo, usando as compras para tentar curar os problemas da vida e se afogando em dívidas ao longo do caminho.

E sabe como que eu descobri que não estava sozinha? Porque eu tomei a decisão doida de falar, de vir aqui na praça pública da internet dividir o meu fundo do poço. E aí vocês todas me encontraram aqui e pararam para ouvir e levantaram as mãos e disseram: eu também! Eu também!

E sabe o que é mais louco? É que, no momento em que eu descobri que não era só eu, aquele peso gigante que pesava nas minhas costas diminuiu. E quanto mais gente chegava, mais leve ele ficava. Porque a gente se encontrou e se enxergou uma na outra, e isso serviu de incentivo para a gente mudar.

Jamais, em mil anos sem Zara, eu imaginaria receber tanto carinho, tantos relatos de gente que se disse tocada, mudada, inspirada. Mas, de verdade, eu que tenho que agradecer. Foram esses relatos que me fizeram conseguir sobreviver à montanha-russa de emoções que foi este ano. Vocês me permitiram completar essa jornada.

Hoje eu sei que essa minha obsessão por comprar nunca teve a ver com estar bonita ou estar "na moda". O *Um ano sem Zara* foi o ano em que eu me propus a ficar fora da moda, e, mesmo assim, eu nunca me senti tão bem-vestida. Porque se tem uma coisa que eu entendi este ano é que não tem cartão de crédito sem limite que consiga tapar os buracos que a gente tem por dentro. E não tem roupa nova que cure a falta de amor-próprio.

E é por isso que eu resolvi que o último look vai ser uma homenagem a essa descoberta. De que eu sou suficiente. Não vai ter firula, não vai ter look digno de Oscar nem vestido que vira blusa e camisa que vira saia. Porque isso não me define. Hoje, a minha homenagem vai para aquela mulher que, exatamente um ano atrás, vestida de shorts e camiseta velha, sentada no chão do quarto, teve a coragem de mudar de vida.

Eu não sei qual vai ser a primeira coisa que eu vou comprar. A verdade é que não ando sentindo falta de nada. Acho que o desafio funcionou, veremos.

Beijo e até amanhã (ou você achou mesmo que eu ia parar por aqui?).

ENTER.

Agradecimentos

Este livro marca o fim de um ciclo. Dez anos se passaram desde aquele primeiro post que mudou a minha vida, e só agora pareço ser capaz de entender plenamente aquela jornada. E parte de entendê-la é reconhecer o papel de cada um que participou desse caminho e agradecer. Porque o caminho definitivamente teria sido outro sem eles.

Começando pela minha mãe. Essa mulher que andava de mãos dadas comigo no shopping aos sábados e segue de mãos dadas comigo na vida. Foi ela que me mostrou as roupas mais bonitas e me ensinou que o importante não é tê-las no armário, mas trabalhar para conquistar o direito de escolher tê-las... ou não.

E não dá para falar da minha mãe sem falar do meu pai. Afinal, essa dupla que me fez sempre foi uma inspiração para mim. Eles se complementam, e é isso que faz dos dois o par perfeito. E, se a minha mãe é o lado das palavras e das emoções, o meu pai é o cara dos números, das planilhas, das coisas exatas. No meio de tantas certezas, ele soube não julgar as minhas linhas tortas. Avesso a riscos, ele apostou em mim, e eu agradeço a ele por isso.

Aí tem a Bá, que eu não posso deixar de fora. Porque ela nunca enxergou meus defeitos, e eu acho que todo mundo tem que ter na vida alguém assim. Nas horas em que a gente está mais para baixo, é bom se ver refletida nesses olhos, nesse espelho tão lisonjeiro.

Aos meus irmãos, Flavia, Marta, Pedro e Dinho, que torcem e vibram uns pelos outros e por mim. Um agradecimento especial ao Pedro, que me disse pela primeira vez que eu poderia escrever um livro e eu acreditei. E à Marta, que acreditou em mim quando eu disse que ia ficar um ano sem comprar. E isso fez com que eu acreditasse ainda mais que era possível.

Mas nada seria possível sem os meus amigos. Todos os que seguraram as minhas mãos nesses 366 dias e em todos os outros dias antes e depois. Em especial ao Rafa, que me deu teto e abrigou meu coração sempre que eu precisei.

Falando em amigos, preciso falar da Isis. Essa força da natureza que gestou e empurrou este livro para o mundo junto comigo (tudo isso enquanto seu corpo gestava e colocava no mundo seu outro filho, um bebê lindo e tranquilo chamado Benício). Essa amiga, que virou parceira de trabalho, de projetos, de sonhos. Essa amiga cuja resposta automática para as minhas insanidades é sempre “Bora. Tô dentro”. Este livro não existiria sem ela.

Ele também não existiria sem a Halime e a Pati, pelo menos não do mesmo jeito. Foram elas que me incentivaram a transbordar sem medo nas palavras, a contar esta história do único jeito possível: o meu.

À Malu, que, do nada, me mandou um e-mail perguntando se eu já tinha pensado em escrever um livro, sem nem saber que eu já estava escrevendo. A toda a equipe da HarperCollins, que me guiou sem me podar e acreditou neste projeto desde a primeira reunião pelo Google Meets. Ao Arthur, que me emprestou seu senso estético. E à Pri, que, com seus poderes mágicos, ajudou a fazer a coisa acontecer.

Mas o meu maior agradecimento não poderia ser outro senão ao meu maior parceiro. Ao meu amor, meu maior incentivador, pai da coisa mais preciosa da minha vida. Obrigada por andar ao meu lado, por acreditar nos meus sonhos e se desdobrar enquanto me ajuda a torná-los realidade. Obrigada por aplaudir as minhas vitórias e me reerguer das minhas derrotas. Obrigada por me conhecer por inteiro e me amar mesmo assim.

Por fim, mas definitivamente não menos importante, preciso agradecer a todas as mulheres que, ao longo desses dez anos, compartilharam comigo suas histórias. Vocês me mostraram que eu não estou sozinha. Vocês me salvaram.

Este livro foi impresso pela Vozes, em
2023, para a HarperCollins Brasil.
O papel do miolo é avena 70g/m² e o da
capa é cartão 250g/m².